CIUDAD DEL VATICANO

ORAZIO PETROSILLO

CIUDAD DEL VATICANO

EDIZIONI MUSEI VATICANI

PRÓLOGO

El peregrino o el turista que llega a la Plaza de San Pedro se siente atraído, casi embelesado, al ver la Basílica, con la grandiosa fachada de Maderno y la imponente cúpula de Miguel Ángel que corona armoniosamente el conjunto arquitectónico dándole una elegancia y esbeltez particulares.

Luego enfoca espontáneamente la mole de los edificios de sobria arquitectura renacentista que parecen una fortaleza: los Palacios Apostólicos, «la casa del Papa». Son dos imágenes familiares que la televisión y otros medios de comunicación masiva han difundido en todo el mundo. La cúpula, llamada por los romanos «er cuppolone», es símbolo de la Roma cristiana, así como el Coliseo lo es de la Roma imperial. Desde la ventana del tercer piso del palacio apostólico el Papa dialoga todos los domingos con el mundo, gracias a la televisión. Esas charlas constituyen una siembra constante de valores, una exhortación a la paz, un mensaje de esperanza.

Estos dos conjuntos arquitectónicos representan el corazón y el centro del Estado de la Ciudad del Vaticano, un minúsculo Estado de 44 hectáreas conocido universalmente, respetado y admirado por la fuerza espiritual, los valores éticos y la fe religiosa que transmite, así como por los tesoros de historia, de cultura y de arte que guarda.

La cercanía y la familiaridad que se establecen con este mini-estado son más bien aparentes y superficiales, me atrevería a decir que se limitan al aspecto exterior. Por razones obvias, no todos los espacios ni todas las riquezas históricas, culturales y artísticas son accesibles directamente al público. Pero como «el Vaticano pertenece a todos» y sus tesoros son patrimonio de la humanidad, hemos querido ponerlos al alcance del peregrino y del turista y llevarlos hasta los hogares de aquellos que no pueden llegar a Roma y la conocen sólo por las famosas imágenes de la Plaza de San Pedro transmitidas por la televisión.

Con el presente volumen de las Ediciones de los Museos Vaticanos se ha querido manifestar ese empeño cultural de divulgación. El autor, Orazio Petrosillo, periodista vaticanista muy conocido, es un escritor de pluma ágil y agradable. La Tipografía Vaticana, fiel a su tradición y experiencia, ofrece una presentación impecable con ricas y bellísimas ilustraciones en colores para que el lector pueda visitar el pequeño Estado, penetrar en sus secretos y gozar de sus innumerables tesoros artísticos.

El hilo conductor utilizado por el autor en su exposición es teológico e histórico, siguiendo el origen y el fundamento del Vaticano que es, al mismo tiempo, teológico e histórico: la tumba de San Pedro Apóstol, en quien Cristo quiso edificar su Iglesia poniéndolo a la cabeza del Colegio Apostólico. Sobre esta tumba, preciosa para la fe y la devoción cristiana, surgieron sucesivamente dos grandiosas basílicas: una edificada por Constantino (322) y la actual, comenzada por Julio II (1506) y terminada bajo el pontificado de Pablo V (1616). Desde esta tumba o «Trofeo de Pedro», considerada el punto central de referencia, el «Mons Vaticanus» (Monte Vaticano) comienza a florecer con construcciones que responden al deseo de vivir «apud Sanctum Petrum», cerca de San Pedro, en un vínculo no sólo espiritual sino también físico con la tumba del primer Vicario de Cristo. El autor ha querido seguir, por tanto, la evolución del «Mons Vaticanus» en el transcurso de los siglos, hasta su actual configuración.

Será una lectura interesante, agradable y muy instructiva, que ayudará ciertamente a conocer y apreciar el mundo vaticano, para muchos lejano y misterioso, pero siempre fascinante, que el genio de artistas sublimes ha transformado en un enorme museo y que, gracias a la presencia del Papa, es un centro visible de comunión y un punto de referencia para todos cuantos profesan la fe católica.

Rosalio José Cardenal Castillo Lara
Presidente de la Pontificia Comisión
para el Estado de la Ciudad del Vaticano

Ciudad del Vaticano, 4 de septiembre de 1997

INTRODUCCIÓN

Este volumen no pretende ser una simple guía del Vaticano, a saber, una descripción minuciosa de todas sus bellezas artísticas y de la historia de cada monumento. Se propone acompañar al visitante para que recuerde, con el pasar del tiempo, las impresiones y emociones de sus jornadas romanas. A veces algún amigo nos lleva a lugares que él bien conoce y, además de darnos una información adecuada llena de detalles interesantes, nos transmite una verdadera pasión por lo que nos muestra. De ello puede nacer una sintonía espiritual con los lugares y objetos visitados, una familiaridad con las personas que se han encontrado, un asombro por las bellezas que se han contemplado y una curiosidad nunca satisfecha por todas las coincidencias y relaciones entre lo que se ve y el misterio al que se remite cada piedra.

Estas páginas son, en cierta forma, el amigo que nos acompaña en el viaje en busca del misterio de esa Isla sagrada que es el Vaticano. Todo lleva aquí admirablemente, a lo largo de diecinueve siglos, aunque está condensado en pocos centenares de metros, hacia el mismo fin por el cual Pedro vino a Roma, aceptó el martirio y fue sepultado en el monte Vaticano. En esa relación casi física de la colina con lo que sucedió en Jerusalén se concentra el misterio del Vaticano. Es un lugar de espiritualidad, no como puede serlo un monasterio de contemplativos, orientados hacia el Reino de Dios que vendrá, sino arraigado en la historia, para perpetuar la misión que Cristo confió a Pedro. Gran parte de la humanidad ha mirado y mira hacia esta colina. Gracias al Vaticano Roma se ha transformado en heredera de Jerusalén. «... aquella Roma donde Cristo es romano...», como escribió Dante con genial intuición teológica. El secreto de la eternidad de Roma se apoya, precisamente, en este trozo de tierra.

La esperanza que abrigan estas páginas es la de transformar, con delicadeza y respeto, al turista en peregrino. Pues si el visitante permaneciera obstinadamente cerrado al mensaje sobrehumano que sale de estas piedras, no comprendería nada del Vaticano. «No es tierra sino un pedazo de cielo», exclamó Emanuele Crisolora a principios del siglo XV. Poderlo recordar a unos cuantos de entre los más de tres millones de visitantes anuales de los Museos Vaticanos que eligirán el presente libro como compañero de camino, es algo que satisface profundamente.

La visita está organizada siguiendo un criterio lógico que comienza por la tumba del Apóstol; pasa a la basílica, que es su gigantesca custodia; sube a los palacios desde donde el Papa guía a la Iglesia; atraviesa los museos con sus obras maestras; recorre la ciudad-jardín y desemboca en la plaza, punto de acogida y de envío. A la unidad de lugar corresponde también la unidad de tiempo: después de la aurora, cuando se descubre el misterio subterráneo en las grutas vaticanas, sigue la primera mañana de oración en el santuario, luego la mañana de la incesante actividad papal, el mediodía de la plenitud artística y la tarde de descanso en la ciudadela, para terminar con el nostálgico atardecer en la plaza.

Panorama general

Un Estado en miniatura

El Estado más pequeño del mundo, centro del más vasto reino espiritual: así han definido, no sin razón, al Vaticano. La superficie, de sólo 44 hectáreas, se puede abarcar con la mirada desde la cúpula de San Pedro. El Principado de Mónaco, que le sigue en tamaño, es tres veces y media más amplio. En forma de trapecio, el Estado de la Ciudad del Vaticano está encerrado por un cerco de murallas construidas de 1540 a 1640, y se abre en la plaza. Tiene 1.045 metros de longitud máxima desde la columnata de Bernini hasta el helipuerto, por 850 metros de ancho desde el aula de las audiencias hasta la entrada a los museos. Su perímetro total es de 3.420 metros. Se halla en el interior mismo del tejido urbano de la ciudad de Roma, a occidente del Tíber y del centro histórico. Toma su nombre del Monte Vaticano, con el que se conocía la zona desde tiempos de los etruscos.

Es tan minúsculo, que no puede dar cabida a los servicios esenciales. Efectivamente, fuera de sus límites tiene un territorio más extenso: 55 hectáreas de las Villas Pontificias y 440 hectáreas del Centro de transmisiones de Santa María de Galeria. El número de sus habitantes es también mínimo: 472 ciudadanos, de los cuales la mitad son los representantes de la Santa Sede en el exterior; 307 personas están autorizadas a residir en el Vaticano manteniendo su nacionalidad originaria.

Es un Estado *sui generis* porque apoya y garantiza la independencia de un organismo universal como la Santa Sede, es decir, el gobierno central de la Iglesia católica. «Es tan grande cuanto basta para tener el alma unida al cuerpo»: así lo presentó Pío XI cuando nació el Estado de la Ciudad del Vaticano con el Tratado Lateranense del 11 de febrero de 1929; éste puso fin a la "cuestión romana" que se había planteado con la toma de Roma el 20 de septiembre de 1870. Desde los 20 metros sobre el nivel del mar de la Plaza de San Pedro hasta los 78,50 de la punta más elevada de los jardines, un tercio de la ciudad apoyada en la Colina Vaticana está ocupado por edificios, otro tercio por plazas y patios, y otro tercio por jardines. Se han contado 10 mil salas, 12 mil ventanas y 997 escaleras. Vista desde una perspectiva aérea, aparece como un amplio conjunto arquitectónico abierto, ordenado, como si una sola inteligencia la hubiera concebido. Es «un patrimonio artístico de la humanidad», así la ha definido la Unesco. Se presenta como una obra de arte enteramente sagrada, coronada por la cúpula de Miguel Ángel. Una isla de tranquilidad y de paz en el mar tumultuoso de la metrópolis romana. El Vaticano es, en verdad, «un reino de juguete», según palabras del escritor católico inglés Gilbert Chesterton.

Capital de un reino de almas

Sería un Estado insignificante si se juzgara según los parámetros acostumbrados. En realidad, es la capital del «reino» más grande del mundo: un reino espiritual al que pertenecen de derecho 950 millones de católicos de todos los continentes. El Vaticano es su «casa madre» porque es el centro de la Iglesia católica, apostólica, romana; porque en él está la sede del Papa que es su cabeza visible.

Es una ciudad tan pequeña, que parece una propiedad familiar, hasta el punto que no se puede entrar en ella sin un motivo específico. Después de las 8 de la noche se cierran sus cinco entradas, excepto la puerta de Santa Ana que permanece parcialmente abierta hasta la medianoche. Por el lado de la plaza, en cambio, la ciudad está abierta de par en par y es la más visitada del mundo. Ninguna capital suscita tanto interés, pues ninguna puede preciarse de poseer tal cantidad de obras de arte. Aquí tuvieron sus talleres artistas sumos como Bramante, Rafael, Miguel Ángel y Bernini. Las decenas de miles de obras maestras que se conservan en la basílica, en los palacios apostólicos y en los museos, y el enorme patrimonio de la biblioteca y los archivos, no son suficientes, sin embargo, para explicar la gran fuerza de atracción que ejerce el Vaticano sobre centenares y centenares de millones de hombres. Se trata de un «inmenso Estado de almas, más que de personas»; un punto de referencia al cual se dirige la humanidad para orientar su propia brújula espiritual.

⇦

La Ciudad del Vaticano vista del occidente hacia el oriente (páginas anteriores). Se destaca la muralla con bastiones del siglo XVI. En segundo plano, las murallas medievales de la Ciudad Leonina renovadas por Nicolás V entre la Torre de la Radio y la Torre de San Juan.

«Desde San Pedro hasta hoy, traza una línea recta en la historia tortuosa de la humanidad —escribía Pablo VI— y ninguna otra voz ha hablado con igual insistencia y mayor coherencia de fraternidad, libertad, respeto, desarme, amor, y progreso moral y civil». El peregrino llega para orar en la basílica de San Pedro y para ver al Santo Padre. «Videre Petrum», ver a Pedro, es una aspiración de la fe que sigue brotando desde las épocas más antiguas y establece un vínculo entre el príncipe de los apóstoles y su sucesor actual, destinatario, como él, de la sublime promesa del Señor: «Tú eres Pedro, y sobre esta piedra edificaré mi Iglesia».

Nadie es extranjero en esta ciudad. Todos se sienten en la propia casa en el interior de estos muros y rodeados por los brazos de la enorme columnata. Y todo peregrino, de los diez millones que pasan en un año, percibe un misterio que lo anonada y no logra dominar. Un misterio que va más allá de las piedras, de la plaza, de la basílica, de los palacios. El Vaticano obliga a mirar hacia arriba. En sus solemnes lugares, nos hace sentir que existe un mundo superior al mundo humano. La basílica y los edificios son la noble corteza material de una realidad espiritual, así como las estructuras visibles de la Iglesia sostienen el edificio invisible y espiritual de la gracia, de la que el Señor es la fuente y el Espíritu Santo, el canal. Aquí no podremos ser sólo turistas que admiran obras de arte. Pisamos las huellas de generaciones de cristianos que nos han precedido a lo largo de los siglos. En el Vaticano no estamos nunca solos. Estamos unidos por una misma cuerda espiritual que mide casi dos milenios de largo.

Vista aérea del Vaticano.

La tumba de Pedro

La piedra angular del Vaticano

La clave del misterio del Vaticano se halla en el misterio de las llaves. No es un juego de palabras. Está encerrada en el mandato que Cristo dio a Pedro de guiar a la Iglesia, cuando le confió las llaves del Reino de los Cielos. Y está oculta en el designio providencial que, hacia el año 42, llevó al Príncipe de los Apóstoles a Roma, capital del imperio. Aquí mismo, entre el año 64 y el 67, fue martirizado en el circo de Nerón, a los pies de la Colina Vaticana, y fue colocado en un cementerio cerca del circo, en la tierra desnuda, protegido sólo por algunos ladrillos. Para comprender el enigma vaticano, es preciso partir de la absoluta humildad de la sepultura de un ajusticiado en plena persecución anticristiana. Pocas decenas de metros separan el lugar donde Pedro confesó su fe con la muerte, del sitio de su sepultura. Como sucedió con Cristo, que murió en el Calvario y fue colocado no lejos de éste, en un sepulcro de propiedad de José de Arimatea.

La tumba de Pedro es la piedra angular del Vaticano y el motivo único de todas sus construcciones. Esta magnífica ciudad no existiría, ni en ella se levantaría el templo máximo de la cristiandad, si no hubiera sido enterrado bajo su tierra un viejo pescador galileo, testigo de la resurrección de un Crucificado, tan convencido hasta dejarse crucificar él mismo, pero con la cabeza hacia abajo; un pobre judío, rechazado por las autoridades de su pueblo, que no poseía ni siquiera la ciudadanía romana y a duras penas quizás hablaría el latín corriente. La sepultura de ese hombre fue el acontecimiento que transfiguró y sublimó la Colina Vaticana y su necrópolis. La ciudadela que observamos hoy surgió de una fortificación destinada a defender esa tumba y la basílica que sobre ella descansa.

Con la ayuda de la imaginación, veamos cómo se presentaba la zona hace dos mil años. Era un lugar inhabitable y cenagoso donde proliferaban las culebras. Poco fértil, el terreno producía un vino pésimo. Los pantanos que se formaban a la orilla derecha del Tíber eran portadores de paludismo. Con el tiempo, la zona adquirió lustre gracias a la construcción de algunas villas señoriales y fue elevada a los honores de la crónica imperial por un circo que surgía en la llanura situada entre el río y las colinas del Vaticano y el Janículo. El Emperador Calígula (37-41) había mandado colocar en la espina del circo un obelisco egipcio procedente, probablemente, de Alejandría.

Durante las persecuciones de los años 64-67, el apóstol Pedro, cabeza de la comunidad cristiana de Roma, fue martirizado en ese mismo circo con un grupo de hermanos en la fe. Su sepultura a los pies de la Colina Vaticana dio principio a la metamorfosis más extraordinaria que haya podido tener algún sitio, desde los tiempos más antiguos hasta hoy. La necrópolis está situada algunos metros más abajo de la planta de la actual basílica. No se excluye que comenzara desde el puente de Nerón y se extendiera por unas millas a lo largo de la Vía Cornelia.

El «trofeo» de Pedro

Si tomamos el estrecho sendero de 70 metros que se desliza entre dos filas de sepulcros —en su mayoría del siglo II— tenemos la impresión de responder a la invitación del escritor eclesiástico Gayo quien, a fines de ese mismo siglo, lanzaba al hereje Proclo el siguiente reto: «Puedo mostrarte los trofeos de los apóstoles: si vas al Vaticano o por la Vía Ostiense, encontrarás los trofeos de los fundadores de esta Iglesia». Los trofeos son los monumentos triunfales de los mártires Pedro y Pablo. El de Pedro corresponde exactamente al altar papal y está situado siete metros más abajo.

Durante la década de los años 60 del siglo I, en la parte central de una zona cuadrangular de 4 metros por 4 llamada por los arqueólogos «campo P», fue excavada la fosa para la humilde tumba del Apóstol. Según la tradición, en los primeros decenios, la señal de reconocimiento de los restos mortales de Pedro fue un arbolillo, un terebinto. Hacia el año 160, fue colocado para proteger la tumba un pequeño muro —llamado «muro rojo» por el color del revoque— que señalaba el límite de nuevas zonas sepulcrales; luego fue levantado un pequeño monumento en forma de edículo con dos hornacinas superpuestas divididas por una ménsula de mármol sostenida por dos columnillas de 80 centímetros de largo. Este modesto conjunto, constituido por el edículo y el «muro rojo» en el cual se apoyaba, se puede identificar con lo que Gayo definió el «trofeo». Por ser una obra de la segunda mitad del siglo II, tiene una importancia excepcional.

Era el punto más venerado del cementerio. Aquí mismo se fueron descubriendo varias tumbas que rodeaban la de Pedro con enorme respeto. El «muro rojo», el modesto «trofeo» y el «campo P» denotan la voluntad precisa, desde mediados del siglo II, de conservar una tumba anterior, incluso con la expansión de la necrópolis. Y esa voluntad fue respetada, a pesar de la discreción obligada de los cristianos que se veían sometidos en esas décadas a las persecuciones más feroces. Con el fin de salvaguardar de los embates de lodo lo que aún quedaba de los restos del Apóstol, fue colocado un muro perpendicular al «rojo» para proteger la sepultura; los arqueólogos lo llamaron «muro g» o «de los grafitos», debido a la gran cantidad de grafitos con invocaciones a Cristo, a María y a Pedro que se hallaron en la pared y que son, para nosotros, un testimonio elocuente de la devoción de los primeros peregrinos que llegaron a Roma. En un lóculo del «muro g», cubierto con placas de mármol, fueron colocados los que podían ser los restos del Apóstol después de unos dos siglos de estar sepultados en la tierra.

Esta "memoria" de Pedro, formada por el edículo y el «muro g», fue conservada con especial cuidado en la gran necrópolis, no obstante las numerosas modificaciones. Lo que constituye, una vez más, el testimonio de que se trataba de una sepultura vigilada y venerada desde el principio. Pues allí estaba Pedro. El Emperador Constantino y el Papa Silvestre estaban tan seguros de ello, que la encerraron en un monumento de mármol blanco azulado con placas de pórfido rojo y una apertura a través de la cual era posible acercarse a la tumba del Apóstol.

Una locura arquitectónica

El monumento fue colocado en el centro del transepto de una basílica de 110 metros por 55, comenzada probablemente en el año 322, unos diez años después del famoso Edicto que reconocía la libertad religiosa a los cristianos. Era tal la veneración a la tumba de Pedro, que Constantino no se detuvo ante una verdadera «locura arquitectónica» como la de construir un edificio de esas dimensiones en un terreno arcilloso y en las faldas de una colina que se debía terraplenar; su sentimiento religioso era tan profundo, que no temió las consecuencias de la profanación de una necrópolis en pleno uso.

Impresiona, aún hoy, el hecho de que el nivel de la nueva construcción fuera determinado por la plancha de mármol colocada al pie del trofeo de Gayo. Los mausoleos que superaban esa altura fueron destapados o destruidos. Lo que se hallaba debajo fue cubierto con tierra, más o menos como sucedió en Pompeya y Herculano con la erupción del Vesuvio. Por eso la necrópolis constantiniana se conservó intacta hasta los años 40 de nuestro siglo XX, cuando salió a la luz durante las excavaciones autorizadas por Pío XII. Ha sido uno de los grandes descubrimientos arqueológicos del presente siglo.

La tumba de Pedro había sido la piedra angular ideal de la basílica constantiniana y, doce siglos más tarde, lo fue del grandioso templo del Renacimiento. Desde los tiempos de esa tumba hasta el presente, a lo largo de dos mil años de historia vaticana, se ha establecido una continuidad viva de tradición y de culto en el lugar del sepulcro del Apóstol, identificado y reconocido con absoluta certeza.

Durante los primeros siglos, la basílica constantiniana fue esencialmente un templo-mausoleo del Apóstol; el transepto estaba dedicado más bien a la veneración de la tumba, y las naves reservadas a las celebraciones litúrgicas. Una larga cadena une la tumba de tierra de Pedro al trofeo de Gayo, al monumento constantiniano y al altar mandado construir en el mismo sitio a fines del siglo VI por San Gregorio Magno. Este Pontífice elevó el presbiterio obteniendo una cripta semianular para que los fieles pudieran acercarse, si bien casi a gatas, a la Confesión. En 1120, Calixto II colocó un altar sobre el que había puesto el Papa Gregorio. Y en la nueva basílica se levantó el altar llamado «de la Confesión» sobre la vertical de la tumba, consagrado por Clemente VIII Aldobrandini en 1594.

Ese mismo Papa mandó arreglar la cripta semianular cuyo corredor central constituye aún hoy la capilla de las grutas vaticanas que tomó de él su nombre: «Clementina». Los Papas no sólo veneraron, sino que cuidaron con gran celo el sepulcro de Pedro, comenzando por sus sucesores perseguidos durante los primeros siglos hasta nuestros tiempos: Pío XII autorizó las excavaciones de la necrópolis y Juan

Pablo II facilitó la visita de los peregrinos al sepulcro de Pedro abriendo un arco en las Grutas Vaticanas en correspondencia con el altar de la Confesión.

La nueva Jerusalén

La estrecha relación entre tumba-altar-basílica es muy semejante a la cadena espiritual que se perpetúa entre los Obispos, a través de la imposición de las manos, desde los tiempos de los doce Apóstoles hasta el momento actual. Sobre todo, a ese vínculo espiritual y físico que hace presente a Pedro, hoy, en su 263 sucesor. Es una descendencia espiritual que desafía los siglos y los acontecimientos históricos. A través de la confesión de su primer Obispo, la Iglesia de Roma permanece especialmente unida a su divino Fundador. Por eso el Vaticano se presenta como una Isla sagrada, una nueva Tierra santa. Aún más, aparece como una nueva Jerusalén entre las dos llegadas de Cristo: entre la Jerusalén histórica de la primera venida y la Jerusalén celestial de su retorno glorioso.

Dante mismo, peregrino en Roma en el año 1300 —el primer Año Santo de la historia— pone en los labios de Beatriz, que le anuncia el paso al paraíso, las siguientes palabras: «... serás eternamente conmigo ciudadano de aquella Roma donde Cristo es romano». El poeta hace de Roma el símbolo de la Jerusalén del cielo. El Vaticano, por lo tanto, no será sólo un museo, por más que sea el más prestigioso del mundo.

Junto a la tumba de Pedro, en las grutas vaticanas y en la basílica, descansan 147 Papas; entre ellos, todos los de nuestro siglo. En la amplia iglesia subterránea de tres naves se conservan muchos sarcófagos antiguos; también hay un pequeño compendio de historia europea con las tumbas del Emperador alemán Odón II, de Carlota de Saboya Lusiñan, Reina de Chipre; de la Reina Cristina de Suecia y de Jacobo III con los últimos Estuardo. Pero el centro de todo sigue siendo siempre el mismo: el sepulcro de San Pedro Apóstol.

En la "memoria" de Pedro está la hornacina de los palios vuelta hacia el oriente. Bajo el cofre dorado donde se conservan los palios, una portezuela corresponde al pequeño agujero de la placa de mármol que fue colocada en la tumba cuando fue erigido el trofeo de Gayo; a través de esa apertura,

La confesión, *un espacio semicircular descubierto logrado por Carlo Maderno y decorado por él en 1600 entre los pisos de la antigua y de la nueva basílica. En 1979 se abrió un arco para poder admirar la confesión desde las Sagradas Grutas Vaticanas, así como se contemplaba en otros tiempos desde la nave central de la basílica constantiniana (Por «confesión» se entiende la sepultura de quien ha «confesado» la propia fe hasta el martirio).*

los peregrinos frotaban contra la tumba pequeños trozos de tela para obtener reliquias. Los palios, conservados en el cofre dorado, son la insignia litúrgica de la jurisdicción de los arzobispos metropolitanos y de la unión particular con el Papa: desde esta tumba, los pastores son enviados por el mundo para confirmar en la fe al pueblo cristiano.

A través de una reja colocada en el techo de la Capilla Clementina, nuestra mirada se dirige hacia el baldaquín de Bernini y la cúpula de Miguel Ángel. Observamos la grandiosa realización religiosa que nace del misterio guardado aquí desde hace siglos: el triunfo de la fe se apoya en la profundidad de un martirio. La enormidad del templo aplasta la pequeñez de la tumba, si bien es ésta la que sostiene el templo.

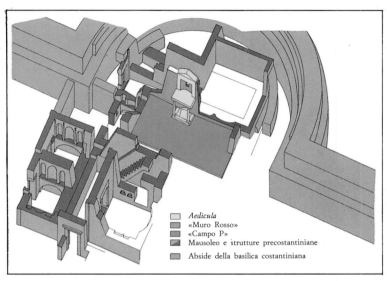

La necrópolis *situada bajo la basílica fue terraplenada hacia el año 320 d.C. por el Emperador Constantino para erigir la basílica en una posición correspondiente a la tumba de Pedro. Las excavaciones realizadas en los años 1940-49 por voluntad de Pío XII sacaron a la luz un estrecho sendero de 70 metros en el cual se hallan alineadas una tumba cristiana y algunas tumbas paganas donde están enterrados también algunos cristianos, evidentemente convertidos. Las tumbas fueron construidas entre el II y el III siglo, en un área sepulcral más antigua donde fue enterrado Pedro, en las cercanías del circo donde fue martirizado.*

Reconstrucción de la necrópolis. *Delante de la «memoria» de Pedro, apoyada en un muro rojo, se dejó un espacio libre, el llamado «campo P» (definición de la relación oficial de las excavaciones, 1951).*

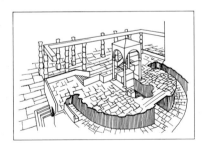

El monumento hecho por Constantino *(abajo). El Emperador encerró la «memoria» en un monumento adornado con un baldaquín de bronce apoyado en cuatro columnas de mármol.*

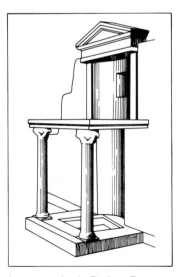

La cripta de Gregorio I *(arriba). Hacia fines del siglo VI, el piso del ábside fue levantado un metro y medio para colocar el primer altar estable sobre el monumento hecho por Constantino. La «memoria» permanecía visible desde la nave central y, por un corredor semicircular, se llegaba a un oratorio colocado en la parte posterior del monumento.*

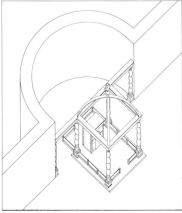

La Hornacina de los Palios *corresponde a la hornacina inferior de la «memoria» de Pedro. La imagen de Cristo es un mosaico del siglo IX. El cofrecillo contiene los palios (estolas de lana blanca) que llevarán los arzobispos metropolitanos recién consagrados.*

La memoria de Pedro. *Reconstrucción del pequeño monumento (2,70 x 1,75 m.) erigido a mediados del siglo II d.C. sobre la tumba de San Pedro (un hoyo excavado en la tierra) y documentado en una carta del año 200 aproximadamente, escrita por Gayo, importante sacerdote romano.*

LA BASÍLICA

18 papas y 12 arquitectos

Hemos llegado a la basílica por un camino insólito: hemos comenzado por sus cimientos, mejor dicho, por la que idealmente es su piedra angular. Estamos en el centro del monumento más grande de la arquitectura sagrada de todos los tiempos y «testimonio» del sepulcro del Apóstol. La basílica es como un enorme ciborio colocado sobre la tumba de Pedro en su punto focal, a saber, en el cruce entre los ejes longitudinal, transversal y vertical.

El visitante queda abrumado ante el gigantesco templo erigido en más de un siglo —de 1516 a 1616— bajo 18 Papas, desde Julio II della Rovere hasta Pablo V Borghese cuyo nombre figura en la fachada. Después de él, otros pontífices como Urbano VIII Barberini y Alejandro VII Chigi dejaron obras importantes, siempre en el siglo XVII. El inquieto recorrido del proyecto, realizado y modificado por los 12 arquitectos que dirigieron los trabajos, es apasionante. Donato Bramante, uno de los padres fundadores de la arquitectura renacentista, comenzó a levantar la basílica en 1506 con un proyecto de planta central o en forma de cruz griega cubierta por una cúpula cuyo eje vertical debía caer sobre la tumba del Apóstol.

Se proponía, por decirlo así, «levantar la cúpula del Panteón sobre las bóvedas de la basílica de Majencio» y, de ese modo, superar lo más sublime de la antigüedad en honor de Pedro. Rafael y Giuliano da Sangallo se apartaron del proyecto de Bramante y propusieron modelos en forma de cruz latina, cuyo esquema esencial fue tomado por Antonio da Sangallo quien perfeccionó el proyecto hasta realizar el modelo en madera que conocemos. En 1546, Miguel Ángel volvió a la idea de Bramante: toda la estructura debía sostener una amplia cúpula que se levantaría desde un tambor bien alto.

⇦

El altar y el baldaquín. Sobre la «memoria» de Pedro han sido colocados, en el transcurso de los siglos, tres altares. El último, consagrado por Clemente VIII en 1594, es un bloque de mármol procedente del Foro de Nerva. El baldaquín de bronce dorado, que mide 29 m. de altura hasta la cruz, es obra de Bernini y fue terminado en 1633.

Giacomo della Porta y Domenico Fontana transformaron la idea de la cúpula semicircular en la de una cúpula apuntada que dio esbeltez y un sentido armonioso del espacio a la obra que aún hoy admiramos como elemento característico del paisaje de Roma. En fin, Carlo Maderno volvió a adoptar la forma de la cruz latina con una amplia prolongación de la nave, no tanto para permitir la participación de un número mayor de fieles, sino para guardar en la nueva construcción los testimonios de arte, y sobre todo de fe, que se conservaban en lo que aún quedaba en pie de la antigua basílica. De 1612 a 1616, fue realizada la imponente fachada con columnas de orden gigante.

En algunos momentos, hasta 2.000 obreros trabajaron en la enorme obra de la basílica. 800 levantaron la bóveda de la cúpula, de la que Miguel Ángel había dejado sólo el tambor. Lo hicieron en 22 meses de trabajo frenético, incluso por la noche a la luz de las antorchas, pues Sixto V Peretti quería que la obra que se había demorado tanto tiempo fuera terminada pronto, y así pudo por fin verla coronada el 14 de mayo de 1590. El 18 de noviembre de 1626, con ocasión del 1.300 aniversario de la basílica constantiniana, Urbano VIII Barberini consagró el «Templo», como se denominó entonces el nuevo San Pedro.

En la nave central están marcadas las medidas de otras importantes basílicas cristianas; éstas indican, mejor que las palabras, la enormidad del templo que, con sus anexos, cubre una superficie de más de 44.000 metros cuadrados. La basílica tiene casi 187 metros de longitud, que llegan a 219 si se calculan el atrio y el espesor de las paredes. La fachada ocupa la misma superficie que un campo de fútbol, pues mide 114 metros y medio de ancho por 46 de altura. La cúpula, con un diámetro de 42 metros y medio, más o menos como la del Panteón, se eleva hasta 136 metros en la punta de la cruz.

Un edificio teológico

Asombran la abundancia del oro, la majestuosidad de las estatuas de los santos fundadores, la solemnidad de los monumentos fúnebres de los Papas y, sobre todo, el arte escenográfico de Bernini plasmado en el baldaquín de la

La basílica constantiniana, consagrada probablemente en el año 326 por el Papa Silvestre I. Se accedía a ella por un amplio atrio con pórticos en cuyo centro había una fuente de bronce para las abluciones: la fuente de la piña, hoy en el patio que lleva el mismo nombre. A la izquierda del transepto estaba la rotonda construida durante el reino del Emperador Caracalla (211-217); entre está y el obelisco que ahora está en la Plaza de San Pedro, se levantaba la rotonda construida bajo Teodosio I hacia el año 400; ambas servían de mausoleos. El color rojo del dibujo indica las añadiduras a la basílica primitiva.

creyentes, esta basílica que se apoya en su Confesión y en su sepulcro es la mejor imagen de ella. Por tanto, todo aquí es una explicación artística de ese mandato de Cristo. La basílica vaticana es la afirmación del cristianismo bajo el aspecto monumental.

Si pasamos al exterior del ábside y observamos el proyecto de Miguel Ángel con ventanales, pilastras, recuadros y cornisamientos, recibimos un mensaje que no se limita a lo artístico. Intuímos la estabilidad y solidez de la Iglesia a través de las líneas horizontales de la robusta cornisa que destaca el ático; y su verticalidad, en los pilares poderosos coronados por capiteles corintios. La tensión hacia la trascendencia está representada por la esbeltez de la cúpula reforzada por las 16 dobles columnas y el igual número de aristas que se dirigen hacia la linterna. La cúpula expresa

Las naves de la basílica constantiniana medían 118 m. de largo; las recuerda un fresco de Domenico Tasselli (desprendido de las grutas vaticanas y transportado a la sacristía de la basílica), realizado antes de su demolición, cuando Sangallo el Joven levantó un muro en 1538 para separarlas del transepto en construcción de la nueva basílica.

Confesión y la triunfal fantasía barroca de la Cátedra de San Pedro. Una especie de temor reverencial sobrecoge frente a tanta grandiosidad que, en verdad, no es meramente teatral, como lo han sostenido algunos. Después de las fuertes sensaciones del primer impacto, se hace explícito inmediatamente, en la mente del peregrino, el mensaje sagrado del edificio.

La basílica está dedicada al mandato de Pedro. Lo dice la enorme inscripción en latín situada bajo la cornisa del tambor de la cúpula: «Tú eres Pedro y sobre esta piedra edificaré mi Iglesia». Comprendemos entonces que nos hallamos ante una obra maestra de arquitectura que es también un edificio teológico. Ninguna otra iglesia en el mundo puede preciarse de ser la realización visual de las palabras de Cristo. Si Pedro es la roca sobre la cual se edifica la Iglesia-comunidad de los

⇦

Vista de la Cúpula desde el techo de la basílica.

también el anhelo de universalidad: Miguel Ángel la dibujó inmensa para que «abrazara a todos los pueblos cristianos». En su interior está representado el Paraíso. De algunos de los 16 ventanales caen haces de luz, como escaleras que llegan del cielo para el creyente que ora.

Stendhal, cuando visitó la basílica por primera vez, recibió un impacto tan grande que escribió: «No es posible no adorar una religión que ha producido tales cosas. Nada en el mundo se puede comparar con el interior de San Pedro. Después de un año de permanencia en Roma, yo iba con gusto a pasar allí horas enteras». El novelista francés aconsejaba situarse bajo la cúpula, «sentarse en una banca de madera y apoyar la cabeza en el espaldar». «El visitante —decía él— podrá descansar y contemplar con gusto el inmenso espacio que le domina. Por poco que uno posea el fuego sagrado, queda atónito por tanta imaginación».

San Pedro hacia el año 1535, en un dibujo de Maarten van Heemskerck. La nueva construcción no ha adelantado mucho después de la muerte de Bramante (1514). A la izquierda, el cuerpo anterior, aún en pie, de las naves (nótese el muro divisorio de Sangallo). Más allá de la obra en construcción, aparece la punta del obelisco, todavía en el lugar originario. A través de una ventana se ve una de las columnas de fuste retorcido de la confesión.

Esbeltez e impulso celestial

Para establecer visualmente una estrecha relación entre la cúpula de Miguel Ángel y la tumba de Pedro, fue colocado el magnífico baldaquín de bronce dorado de Gian Lorenzo Bernini. En la grandiosa basílica, la minúscula "memoria" del Apóstol corría el riesgo de perderse, mientras debía seguir siendo el centro. Por eso Urbano VIII Barberini, recién elegido en 1624, comisionó a «su» escultor, a quien conocía y apreciaba desde cuando era muchacho, la realización de un gran baldaquín sobre el altar mayor, una especie de corona para el sepulcro del Apóstol. Bernini concibió esta obra como una enorme escultura, una construcción en bronce, de 29 metros, más alta que cualquier palacio del Renacimiento en Roma, pero logró, al mismo tiempo, darle esbeltez y un impulso celestial. La torsión de las columnas de bronce sugiere un movimiento ascendiente, y la mirada se pierde en la luz azul y dorada de los mosaicos de la cúpula que representan el Paraíso, hasta llegar a la imagen del Eterno Padre que aparece en el casquete de la linterna. Las columnas son copia de las que cubrían el antiguo ciborio del templo constantiniano; de éstas últimas, ocho adornan los cuatro balcones con balaustrada de las pilastras de la cúpula, dando testimonio de la continuidad del culto que se profesaba al apóstol desde la época medieval hasta el Renacimiento.

Hemos permanecido hasta ahora en la vertical que se levanta sobre la Confesión del Príncipe de los Apóstoles. La línea horizontal no es menos importante.

Entremos por la verja central del pórtico. La última puerta de la basílica, a la derecha, es la Puerta Santa que está tapiada y se abre sólo en los años del Jubileo. Las hojas de la puerta central, de bronce, realizadas por Filarete en 1439-45, pertenecían a la antigua basílica. Es la primera obra renacentista realizada en Roma, aunque por un artista florentino. De los seis paneles, dos están dedicados al martirio de Pedro y Pablo; las cuatro fajas horizontales representan los principales episodios del intento de conciliación entre la Iglesia de Oriente y la Iglesia de Occidente en 1439. La última puerta a la izquierda se denomina Puerta de la Muerte porque Giacomo Manzù quiso mostrar en ella las distintas formas en que puede morir un hombre.

Al entrar, se impone a la vista la inmensidad de la nave con su enorme bóveda que llega a más de 44 metros de altura. Los santos fundadores se asoman desde sus hornacinas. Las figuras alegóricas de las virtudes y sus símbolos se destacan en las cornisas. En las pilastras lucen mármoles preciosos. Las arcadas parecen arcos de triunfo... todo esto contribuye a que se dirija la mirada hacia el baldaquín de Bernini que constituye un llamamiento a la oración sobre el altar, sobre la tumba del Apóstol.

El baldaquín no impide, sin embargo, que la mirada vaya hasta el fondo del ábside donde triunfa la fantástica «máquina» de la Cátedra, el monumento a la primacía del Papa: un gigantesco relicario, realizado por Bernini en los años 1658-66 en el cual se conserva la cátedra de madera que se creía perteneciese a San Pedro. En realidad, como lo han demostrado estudios recientes, es un trono real mandado construir por Carlos el Calvo, rey carolingio. Probablemente lo regaló al Papa cuando fue coronado Emperador en Roma en la basílica de San Pedro, en la Navidad del año 875.

A los pies del trono se levantan cuatro grandes estatuas de los doctores de la Iglesia: los latinos Ambrosio y Agustín, y los orientales Atanasio y Crisóstomo. Parecen sostener la cátedra, símbolo de la autoridad del Pontífice que él recibe directamente del Espíritu Santo. En lo alto domina el Espíritu, fuente de luz e inspiración, en un cristal de Bohemia amarillo-oro. Con la intuición del genio, Bernini se adelantó a los tiempos: el Espíritu Santo sobre la cátedra papal parece preparar el dogma de la infalibilidad, proclamado por el Primer Concilio Vaticano, precisamente en esta basílica, en 1870; y los cuatro obispos que rodean la cátedra evocan la doctrina de la colegialidad episcopal afirmàda por el Vaticano II, celebrado en esta misma basílica de 1962 a 1965.

Et unam, sanctam, catholicam et apostolicam Ecclesiam

Todas las obras de arte de la basílica hacen pensar en la insondable profundidad del misterio de Cristo y del Cuerpo místico de Cristo. Cuando las naves están llenas, con motivo de alguna celebración papal, se conciertan, como en una sinfonía, los corazones de los fieles y el templo material. Viene a la mente el concepto de ciudad terrena, de reunión eclesial que representa la ciudad celestial. Al proclamar, cantando a plena voz bajo estas bóvedas: «Et unam, sanctam, catholicam et apostolicam Ecclesiam», se siente una emoción inigualable. La afirmación del Credo vibra aún más cuando la celebración en la basílica es presidida por el Sucesor de Pedro y ante él se reúne una asamblea cosmopolita y multirracial. Las piedras, aquí, transmiten reflejos espirituales; son luz para quien sabe contemplarlas: «Pietra di luce» (Piedra de luz) es, precisamente, el título de un florilegio de poesías del joven obispo Karol Wojtyła, escritas en el otoño de 1962 cuando, todas las mañanas, se sentaba en esta aula con 2.300 obispos durante la primera sesión del Concilio.

No es cierto que en San Pedro no se puede orar. Se reza muy bien. «Es suficiente apartarse en una pequeña capilla —escribía monseñor Ennio Francia— para sentirse solos en esta tierra santificada y bendita por la sangre de Pedro y de los primeros mártires cristianos. Es una construcción que encierra la magia, el esplendor y el fasto creados por el genio del hombre para celebrar la revelación que ha triunfado sobre el paganismo y ha edificado una nueva civilización». La Iglesia es protagonista en este templo cuyas características fueron creadas para dar testimonio de su grandeza en apoyo a la Contrarreforma. La nave fue prolongada para dar la sensación de inmensidad y con el objeto de que sirviera de escenario a imponentes ceremonias y largas procesiones. Pero existe un motivo todavía más profundo: no se podía abandonar un territorio sagrado tan rico en testimonios religiosos como aquél en el cual surgía el templo constantiniano.

Nuestra generación ha visto la inmensa nave central transformada en aula conciliar y sinónimo de universalidad. La grandiosidad ha servido de marco adecuado para la catolicidad. Los acontecimientos históricos de la Iglesia, las celebraciones solemnes, las canonizaciones y las beatificaciones, los concilios y los sínodos, encuentran en ella el escenario apropiado. Y la centralidad arquitectónica de la Confesión de Pedro hace que la mirada se dirija siempre hacia su Sucesor, guía visible del momento. Del Apóstol a la Iglesia, de la Iglesia al Papa. La basílica sirve de lazo de unión entre los tres alrededor de Cristo cuya Cruz triunfa en todas partes y cuyas palabras, inscritas en la cornisa, unen sólidamente la fe y el arte.

La puerta principal de San Pedro. *Fue realizada en 1445 para la antigua basílica constantiniana por el florentino Antonio Averulino, llamado Filarete. En los seis paneles mayores están representados el Salvador, la Virgen, San Pablo, San Pedro y los martirios de los dos últimos. En 1620, se agregaron dos paneles, uno arriba y otro abajo, para adaptarla a la nueva basílica; ahora mide 6,50 m. de altura. El Papa Eugenio IV Condulmer, quien donó la puerta de bronce, está representado a los pies de San Pedro. En las cuatro franjas que separan los paneles, se ven escenas del Concilio de Florencia (1439), celebrado durante su pontificado para la unificación de las Iglesias ortodoxa y católica. Los espacios que rodean a los apóstoles están decorados con caracteres árabes. Entre las volutas de hojas de acanto que enmarcan la puerta, se destacan pequeñas escenas, animales y personajes de la historia y de la mitología antiguas, adorno típico renacentista de inspiración clásica. La puerta constituye el primer ejemplo de decoración renacentista en Roma.*

Juan Pablo II atraviesa la Puerta Santa para inaugurar el Jubileo de 1983. Esta puerta la abre solemnemente el Papa sólo con ocasión del Año Santo y permanece tapiada entre un Año Santo y otro.

Dan al atrio las cinco puertas en bronce de la basílica: la Puerta de la Muerte, de Giacomo Manzù (1964), donada por monseñor Jorge de Baviera, canónigo de San Pedro; la Puerta del Bien y del Mal, de Luciano Minguzzi (1977); la Puerta de Filarete (1445); la Puerta de los Sacramentos, de Venanzio Crocetti (1964), y la Puerta Santa, de Vico Consorti, que fue donada por los católicos suizos para el Jubileo de 1950.

En uno de los paneles de la Puerta del Bien y del Mal, Minguzzi quiso recordar el Concilio Vaticano II (1962-1965).

Las tres nuevas naves fueron levantadas en los años 1608-12 por Carlo Maderno, a petición de Pablo V Borghese. En la base del tambor de la cúpula *(a la derecha)* está escrito en un mosaico en latín: «Tú eres Pedro y sobre esta piedra edificaré mi Iglesia, y te daré las llaves del reino de los cielos». Y bajo la cornisa que corre a lo largo de la nave y del transepto se recuerda, igualmente, la misión de Pedro. La nave central *(abajo)*, hasta el ábside, mide 186,36 m. La decoración de la basílica, comenzada durante el pontificado de Urbano VIII Barberini para celebrar el Año Santo de 1650, fue dirigida por Bernini.

⇦

La Piedad *fue* esculpida en un solo bloque de mármol de Carrara y está firmada por Miguel Ángel "florentino" en la cinta que atraviesa el pecho de la Virgen. La obra fue comisionada al artista por el Cardenal Jean de Villiers de la Groslaye, embajador francés en Roma. El artista, de veintiún años, la comenzó en 1498 y trabajó durante más de dos años hasta terminarla. La estatua se inspira en modelos del siglo anterior, famosos en los países transalpinos, que representan a la Virgen sosteniendo a Cristo muerto sobre las rodillas. Pero Buonarroti crea una composición nunca vista antes. Las sabias proporciones de los cuerpos, de dimensiones naturales, que armonizan el uno con el otro, el aspecto monumental, los rostros jóvenes y la actitud de compostura y dulce resignación de la Virgen, revelan la formación clásica del artista. La Redención, relacionada siempre con la representación del dolor, aparece aquí más bien como fuente de belleza y de serenidad.

La cúpula *fue proyectada por Donato Bramante para la nueva
construcción. Julio II della Rovere
colocó la primera piedra el 18 de
abril de 1506, bajo el pilar de la
Verónica. Cuando murió Bramante, en 1514, estaban terminados
los pilares (71 m. de perímetro) y
los arcos que los unían (44,80 m.
de altura). De 1546 hasta su muerte, en 1564, Miguel Ángel cons-
truye el tambor. En 1590, Giacomo
della Porta y Domenico Fontana
terminan el casquete y el año
siguiente la linterna. Los mosaicos del interior de la cúpula fueron realizados a finales del siglo
según cartones de Cavalier d'Ar-
pino y representan los círculos
del paraíso que terminan en Dios
Padre. En el óculo de la linterna
está la inscripción dedicatoria de
Sixto V, quien quiso terminar la
obra. La cúpula mide 136,57 m.
desde el piso hasta la punta de la
cruz y 42,56 m. de diámetro.*

*La cátedra en gloria. Es un gigantesco re-
licario realizado por Bernini en los años 1658-
66 para conservar el trono que la tradición
atribuía a Pedro. Ocupan la base las estatuas
de cuatro Doctores de la Iglesia: dos oc-
cidentales, Ambrosio y Agustín, con mitra; y
dos orientales, Atanasio y Juan Crisóstomo.
Con esta obra extraordinaria el artista termina la decoración de la basílica, celebrando
así, con el triunfo del Barroco, el de la
primacía del Papa. Había transcurrido un
siglo y medio aproximadamente desde la
colocación de la primera piedra del templo
(18 de abril de 1506), cuya construcción había
desencadenado la reacción protestante.*

*La tiara papal está formada
por tres coronas que sim-
bolizan el triple poder del
Papa: padre de los reyes,
regidor del mundo y vicario
de Cristo. Esta tiara (a la
derecha) es del siglo XVIII y
con ella se corona la estatua
en bronce de san Pedro el 29
de junio, fiesta del santo. La
tiara se ha dejado de usar en
las ceremonias solemnes
desde el pontificado de Pablo VI.*

Estatua en bronce de San Pedro *atribuida tradicionalmente a Arnolfo di
Cambio. Según una hipótesis reciente, la estatua podría ser obra de un
autor anónimo siríaco del siglo IV.*

La cátedra de Pedro *es el trono imperial que Carlos el Calvo, cuando
fue coronado Emperador en San Pedro, donó al Papa Juan VIII en el
año 875.*

El Colegio Cardenalicio, *instituido en 1150, estaba formado por los altos prelados del clero romano que, desde los primeros tiempos, colaboraban con el Obispo de Roma en el gobierno de la Iglesia. Actualmente los cardenales proceden de todo el mundo. Cuando se deben definir cuestiones importantes, o se ha de dar solemnidad a decisiones de gran significación, el Papa reúne el Colegio Cardenalicio en «consistorio» (lugar de reunión). Desde el año 1059, los cardenales reunidos en «cónclave» (encerrados bajo llave) son los electores exclusivos del Papa. El Colegio Cardenalicio (a la derecha) está aquí reunido delante de la basílica con motivo de una solemne concelebración con el Pontífice.*

El Sínodo de los Obispos *fue instituido por el Papa Pablo VI el 25 de septiembre de 1965 para favorecer una colaboración más orgánica y funcional entre el Papa y los Obispos. Desde 1971, se reúnen en la sala menor (a la izquierda) del edificio del Aula de las Audiencias.*

El Papa ejerce su misión con la ayuda de los Obispos (más de 4.000), sucesores de los Apóstoles, que el mismo Papa nombra y reúne en Concilios Ecuménicos (a la derecha, Conc. Vaticano II) para deliberar sobre cuestiones inherentes a la vida de la Iglesia.

⇦

Una misa pontifical *en San Pedro. Se puede apreciar la solución que Maderno dio a la Confesión con la apertura semicircular en el piso de la basílica.*

❶ Monumento sepulcral de Urbano VIII. *En la figura imponente del Papa, Bernini exalta la primacía del magisterio pontificio, en perfecta sintonía con toda la decoración de la basílica, confiada al artista por el Papa Barberini y dedicada al «mandato» de Pedro. Al triunfo del autoritario Pontífice, cuyo nombre está tocando la Muerte, asisten dos figuras femeninas: la Caridad y la Justicia.*

❷ Monumento sepulcral de Alejandro VII. *Bernini quiso expresar probablemente, con los pliegues de los ornamentos litúrgicos, sacudidos como por un tormento interior, el ardiente ascetismo de ese Pontífice. El artista, que había llegado casi a los ochenta años de edad, celebró en esta obra pomposa y resplandeciente (1671-78) la cumbre del Barroco, estilo del que fue uno de los promotores. La Caridad y la Verdad figuran en primer plano; con la Justicia y la Prudencia, ocupan la base del monumento.*

En la Capilla del Sacramento, *contrasta con la clásica sencillez del ciborio en bronce dorado y lapislázuli el movimiento de las figuras de los ángeles. Son obras tardías de Bernini (1673-74). El artista se inspiró, para la realización del ciborio, en el Templete de Bramante que se halla junto a la iglesia de San Pedro in Montorio.*

A los pies de los pilares que sostienen la cúpula, cuatro estatuas monumentales barrocas (1629-40) representan a San Longinos, *obra de Bernini (al centro);* Santa Helena, *de Andrea Bolgi (arriba);* La Verónica, *de Francesco Mochi (a la derecha, abajo)* y San Andrés, *de François Duquesnoy (a la derecha, arriba).*

⇦
La fuente bautismal *está formada por una pila de pórfido de la época imperial romana (2 x 4 m.) y una tapa de bronce dorado que lleva al centro la representación de la Sma. Trinidad que bendice al mundo, diseñada por Carlo Fontana en la última década del siglo XVII.*

Las *Sagradas Grutas Vaticanas*. Además de la cripta, mandada construir por Gregorio I en el VI siglo elevando el presbiterio de la basílica constantiniana, las Grutas de San Pedro comprenden un amplio espacio entre los pisos de las naves de la antigua y la nueva basílica. Allí están enterrados Papas y Monarcas. En los años 1935-50, dicha área fue transformada en una iglesia-cementerio de tres naves. En el fondo, el monumento de Pío VI, obra de Antonio Canova (a la derecha).

La Capilla Húngara, *inaugurada en 1980. A la izquierda del altar, la estatua de San Esteban; contra las paredes, bajorrelieves con historias de santos húngaros. Toda la decoración es obra de artistas de esa nacionalidad.*

En la superficie ocupada por las Grutas se hallan varios oratorios. Entre éstos, la Capilla Lituana, inaugurada en 1970.

La Capilla Polaca, *inaugurada por Pío XII en 1958 y ampliada en 1982. Sobre el altar, un mosaico que representa a la Virgen de Częstochowa.*

El gallo *(siglo IX, pontificado de León IV) del campanario de la antigua basílica de San Pedro.*

La Tumba en bronce de Sixto IV, *fundador de la Capilla Sixtina, es un verdadero «testimonio» del Renacimiento cristiano. Fue realizada en 1493 por Antonio del Pollaiolo. Están representadas las tres Virtudes teologales y las cuatro cardinales junto a la figura del Pontífice, y las siete Artes liberales, más la Perspectiva, en las paredes del sarcófago.*

Sarcófago de Junius Bassus. *Se remonta al año 359 y fue descubierto en las Grutas, bajo la capilla de San Pedro, en tiempos de Clemente VIII (1597). En los diez recuadros se ven episodios del Antiguo y el Nuevo Testamento. En la parte superior, al centro, un Jesús joven entrega la Nueva Ley a dos apóstoles, probablemente Pedro y Pablo. A la izquierda, la captura de Pedro; y en el último recuadro, abajo, Pablo llevado al martirio. Junius Bassus era un prefecto de Roma convertido al cristianismo. El sarcófago se conserva en el Museo de San Pedro.*

LOS PALACIOS

Ubi Papa, ibi Roma

Si la basílica es la grandiosa custodia de la tumba de Pedro, el palacio apostólico es la prolongación del templo y, digamos, su casa cural. La Casa del Papa presenta una continuidad arquitectónica con la basílica, aunque quien observe desde lo alto no se dé cuenta inmediatamente. Se trata de un conjunto de construcciones, de varias residencias agregadas unas a otras en un mismo núcleo a partir del siglo XIII hasta el XVII. Por eso el plural —«Sagrados Palacios»— es muy apropiado, mientras el singular expresa mejor el vínculo ideal entre tumba-basílica-palacio apostólico.

La actividad principal, y motor de todas las demás que se desarrollan diariamente en la ciudadela vaticana, es la que ejerce el Papa, sucesor de Pedro, como Obispo de Roma y por ello «pastor et nauta» de la Iglesia, pastor universal del rebaño de Cristo y piloto de la mística barca del Señor. El palacio pontificio es una especie de puente de mando, si bien el Concilio nos haya exhortado a privilegiar la imagen del pueblo itinerante de Dios.

Observando al Santo Padre en su actividad de estudio, de magisterio y de gobierno, en las audiencias diarias y en las acciones solemnes de su ministerio, vienen a la memoria los nueve títulos que ilustran el mandato de todo pontífice: Obispo de Roma, Vicario de Jesucristo, Sucesor del Príncipe de los Apóstoles, Sumo Pontífice de la Iglesia universal, Patriarca de Occidente, Primado de Italia, Arzobispo Metropolitano de la provincia romana (ésta tiene la misma extensión que la región del Lacio), Soberano del Estado de la Ciudad del Vaticano, Siervo de los siervos de Dios. Este último título recuerda la práctica de la humildad y fue acuñado por San Gregorio Magno como respuesta al Patriarca de Constantinopla que quiso llamarse patriarca ecuménico, es decir, universal.

Entre los últimos títulos, el que corresponde a la soberanía se refiere al pequeño Estado como infraestructura territorial y material de la Santa Sede y expresión jurídica del gobierno central de la Iglesia: el Vaticano existe para el Papa y no viceversa. Un famoso jurista, Enrico da Segusia, conocido como Cardenal Ostiense, afirmaba en el siglo XIII una convicción general: «Ubi Papa, ibi est Roma». Roma, es decir, la sede romana, se halla donde está el Papa: él lleva sobre sus hombros el primado de Pedro precisamente por ser Obispo de la sede del primer apóstol.

Varios siglos en pocos metros

No muchos visitantes están al corriente de que la primera residencia de los Pontífices no fue el Vaticano sino el palacio de Letrán, donde ellos residieron durante unos mil años, desde la época de Constantino hasta el exilio en Aviñón. La basílica de Letrán sigue siendo hoy la catedral del Obispo de Roma. Y no son muchos, tampoco, los turistas —en el Vaticano— que logran distinguir la estructura medieval del primer palacio papal bajo el aspecto renacentista de las logias de Bramante y de Rafael. Esto también porque no es posible visitarlo todo.

Es maravilloso retroceder en el tiempo, incluso varios siglos atrás, recorriendo sólo unos pocos metros; se observa un escenario que cambia de repente radicalmente: del pleno Renacimiento a la Edad Media. Por ejemplo, si salimos del Patio de San Dámaso —cerrado por los palacios construidos en el siglo XVI— y atravesamos los patios del Papagayo, Borgia y del Centinela, estrechos y altos, con poca luz y severas estructuras de defensa, volvemos a la primera mitad del siglo XV, e incluso mucho antes, a los años 1277-1280, cuando Nicolás III Orsini comenzó las residencias papales en el Vaticano.

Se reconocen, al mismo tiempo, distintas épocas e ideologías urbanísticas. Del esplendor renacentista de la residencia papal que se abre hacia la ciudad con sus amplias logias, nos vemos lanzados a una época en la que la única preocupación consistía en defenderse del enemigo. Nos hallamos en medio de una fortaleza, entre torres y poderosas edificaciones con estrechas ventanas. En el Patio del Mariscal, adyacente, descubrimos cómo Bramante y Rafael lograron, a principios del siglo XVI, levantar la nueva fachada del palacio del Renacimiento, apoyándola en parte a las construcciones medievales. El distinto modo de construir muros y pilares marca la transición entre las dos épocas. Sobre el arquillo de una entrada lateral, tapiada para construir las logias, aún se ve el escudo de Pío II Piccolomini con las cinco lunas.

Para comprender cómo se fue desarrollando la edificación de los palacios apostólicos en el Vaticano, es preciso

Panorama de los palacios y los museos. *La Capilla Sixtina y la Torre Borgia dominan el cuadrilátero del palacio medieval. Al centro, el Patio de San Dámaso y el Palacio Sixtino. Al pie, a la derecha, el Torreón de Nicolás V. Hacia el fondo, los dos largos corredores del Belvedere; entre éstos, el espacio concebido por Julio II y Bramante, interrumpido por la Biblioteca Sixtina y el Brazo Nuevo de los Museos. Al fondo, la Hornacina de la Piña. Bien visible, la Torre de los Vientos, más allá de la mitad del corredor de la izquierda. Siempre a la izquierda, al fondo, la Pinacoteca y el edificio de la dirección de los Museos Vaticanos. Entre los árboles, a la izquierda, la «Casina» de Pío IV y la Academia de Ciencias.*

Basílica de San Juan de Letrán. *Fachada principal de Alessandro Galilei (1735), con la vista oriental del Palacio de Letrán renovada por Clemente XII (1735).*

remontarse a los primeros siglos. Los Papas residieron durante mil años en el palacio de Letrán, junto a su catedral. La basílica vaticana era la iglesia del cementerio, en pleno campo, con un monasterio y pocas casas para los guardianes y el clero que oficiaba en el templo.

Sin embargo, precisamente por estar situado al otro lado del Tíber y porque se le consideraba un lugar malsano, el modesto barrio que se extendía alrededor de la basílica de San Pedro ofrecía un amparo bastante seguro a los Pontífices durante las turbulencias de la Edad Media. Símaco se refugió

allí durante el cisma laurenciano, del 501 al 506, y construyó dos «episcopia» junto a la basílica. León III agregó el «palatium Caroli» con ocasión de la visita de Carlomagno (799-800). Treinta años después, Gregorio IV mandó edificar una hospedería para pasar la noche y no tener que regresar al palacio de Letrán en vísperas de las solemnidades.

Debido al saqueo del Vaticano, perpetrado en el año 846 por diez mil piratas sarracenos, León IV levantó una muralla de 12 metros de altura, con 44 torres, para defender la basílica

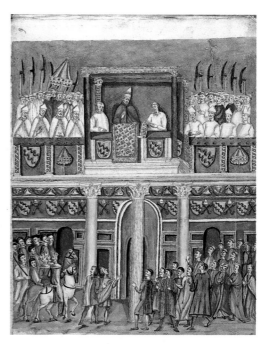

La Basílica de Letrán *(a la izquierda), Catedral de Roma, antes de la reconstrucción comisionada por Inocencio X en el siglo XVII. El fresco, de la primera mitad de dicho siglo, que la representa en su aspecto medieval, se conserva en la iglesia de San Martino ai Monti.*

El Papa *Bonifacio VIII (a la derecha) proclama desde la Logia de las Bendiciones del Palacio de Letrán, en el año 1300, el primer Año Santo. Miniatura del siglo XVI (Biblioteca Ambrosiana, Milán), copia de un fresco de Giotto (posterior a 1308), en gran parte destruido, del que se conserva un fragmento en la basílica de Letrán.*

El Palacio Apostólico en el Vaticano no siempre fue la residencia del Papa. En el Alto Medioevo, antes del exilio en Aviñón (1309-77), el Papa y la Curia romana residían en el palacio adyacente a San Juan de Letrán. Un dibujo de Maarten van Heemskerck, de 1534 aproximadamente (Kupferstichkabinett, Berlín), nos muestra el Palacio de Letrán con la Logia de las Bendiciones de Bonifacio VIII. A la derecha, la fachada del transepto de la basílica. Después de 1309, el Papa no residió nunca más en el palacio.

←

El Apartamento de protocolo del Palacio Apostólico de Letrán está formado por una serie de salas pintadas al fresco, adornadas con una rica colección de tapices italianos y franceses de los siglos XVII y XVIII.

Abajo, a la izquierda y a la derecha. Las logias adyacentes a las salas monumentales se han organizado como salas de exposición con objetos que pertenecieron a los ejércitos del Estado Pontificio, a la Corte laica –suprimida en 1978– y al antiguo ceremonial. Se conserva también una rica colección iconográfica de los Papas, del siglo XVI en adelante.

y la colina; por un lado llegaba hasta el Tíber y, por el otro, estaba unida al Castillo Sant'Angelo mediante el «passetto», un corredor en la parte alta de la muralla. Así fue como se formó la «Ciudad Leonina», cuyo trazado es aún visible en los jardines vaticanos. La zona se fue desarrollando a partir de este barrio fortificado.

De 1145 a 1153, Eugenio III hizo construir un «palatium» al sur de la basílica, quizás era la ampliación de uno de los «episcopia» de Símaco. Inocencio III, que había llevado a su apogeo el poder de la Santa Sede dominando el mundo cristiano de ese entonces, no lograba, sin embargo, defenderse de las tropas romanas y se vio obligado, por tanto, a encerrarse con frecuencia en el Vaticano. Por consiguiente, dotó el palacio del Papa Eugenio de habitaciones para la curia y los servicios y levantó otra muralla. Ese fue el origen de los actuales palacios apostólicos.

El cuadrilátero fortificado

Inocencio IV (1243-1254) mandó construir un nuevo edificio con una torre albarrana. Esa residencia-fortaleza fue incluída más tarde por Nicolás III Orsini en el proyecto de un cuadrilátero de edificios almenados con torres en las esquinas; en sus tres años de pontificado (1277-1280) residió en el Vaticano y alcanzó a realizar el lado sur del cuadrilátero hacia la basílica y el lado oriental hacia la ciudad, que daba a un jardín donde está actualmente el Patio de San Dámaso.

Para observar la estructura del palacio medieval, es necesario subir a la cúpula —desde donde se puede ver como en un mapa— y fijar la mirada en el patio cuadrado llamado «del Papagayo», así denominado por las decoraciones con aves mitológicas. Del cuadrilátero comenzado por Nicolás III no se ven dos torres porque fueron destruidas en parte o incluídas en la siguiente construcción. Quedan la fortificación donde está la Capilla Sixtina y la torre edificada por el Papa Borgia, que lleva su nombre.

El cuadrilátero fue completado casi dos siglos más tarde: el lado norte, por Nicolás V a mediados del siglo XV; y el lado occidental, que lo cerraba, fue terminado más adelante. Entre las dos obras transcurrieron los casi setenta años del período de Aviñón —de 1309 a 1377— y los casi cuarenta del gran

Cisma de Occidente —de 1378 a 1417— cuando hubo contemporáneamente un Papa y dos Antipapas. Al regresar de Aviñón a Roma, en 1377, Gregorio XI encontró el palacio de Letrán destruido por un incendio; por tal motivo, él y sus sucesores resolvieron vivir en el Vaticano. Nicolás V Parentucelli, el Papa humanista que gobernó la Iglesia de 1447 a 1455, dio un verdadero impulso a las construcciones; fue también el creador de la Biblioteca Vaticana. Se decía que «le gustaba gastar en libros y edificaciones».

Sin alterar por fuera el aspecto de soberbio castillo almenado, este Papa toscano abrió las salas de su residencia al arte del primer Renacimiento. El Beato Angélico, quien pintó al fresco la capilla privada del Papa interpretando en su obra el primado pontificio, abrió el camino a un gran número de artistas importantes. Desde entonces, y durante más de un siglo, la residencia papal fue la sede de la máxima producción artística mundial. La cultura humanista se ponía al servicio de la autoridad pontificia que veía a los artistas casi como «depositarios en esta tierra de las verdades eternas», así solía decir Nicolás V, quien se apoyaba en una gran intuición: lo Verdadero, lo Bueno y lo Bello nacen de la misma fuente divina y pueden ser transmitidos admirablemente por las artes figurativas. Esta convicción animó a los Papas mecenas del Renacimiento, aunque no todos fueron irreprensibles en su vida personal y en su manera de gobernar a la Iglesia.

Otro Papa humanista como Nicolás V fue Sixto IV della Rovere, quien reinó de 1471 a 1484. Restableció la capilla del palacio —que tomó de él su nombre: Sixtina— y la hizo decorar por los mayores pintores de la época. Desde octubre de 1481 hasta el verano del año siguiente, Perugino dirigió una enorme obra en la que participaron, entre otros, Botticelli, Pinturicchio, Ghirlandaio, Signorelli y Cosimo Rosselli, quienes realizaron la serie de retratos de los Papas anteriores y los episodios del Antiguo y del Nuevo Testamento.

Se debe también a Sixto IV la fundación oficial de la Biblioteca, situada en la planta baja de la residencia pontificia y abierta por primera vez al público. El Papa quiso dar al palacio, con la capilla, también un fortín; por lo tanto, la Sixtina presenta un curioso contraste entre su exterior, con el camino de ronda almenado, y su interior, decorado con obras maestras inigualables del Renacimiento.

El punto culminante del Renacimiento

El sobrino de Sixto IV, Giuliano della Rovere, elegido Papa en 1503 con el nombre de Julio II, fue quien encargó a Miguel Ángel la conclusión de la obra pictórica de la Sixtina, con la representación, en los lunetos y en la bóveda, de figuras de los Antepasados de Cristo, historias del Génesis, Profetas y Sibilas. Buonarroti era más que todo escultor y no tenía experiencia de pintura al fresco, pero realizó la enorme empresa en los 600 metros cuadrados, o más, de la bóveda. En 25 meses de trabajo incansable, de julio de 1508 hasta agosto de 1510, creó 343 figuras con una visión plástica nueva que relegó a segundo plano todas las obras de los célebres artistas que le precedieron.

Miguel Ángel interpreta nueve episodios del Génesis como un mito sobre el origen del hombre, la creación, el pecado y la espera de la redención. Adán, llamado a la vida por el dedo de Dios, es la imagen más conocida del arte occidental. Los desnudos que participan en el drama del pecado, los antepasados de Cristo, los profetas y las sibilas narran una gigantesca historia espiritual de la humanidad. Los contemporáneos se quedaron «atónitos y sin palabras», incluso Bramante y Rafael que quizá hubieran deseado, en lo más íntimo, el fracaso de su rival toscano.

A Rafael, joven y brillante artista de Urbino, Julio II della Rovere había confiado, en cambio, la decoración de su nuevo apartamento situado sobre el de Alejandro VI Borgia que Pinturicchio había pintado al fresco. Las tres Estancias de Rafael constituyen uno de los ciclos más grandiosos del Renacimiento, tanto por la doctrina que ilustran, como por el desarrollo estilístico. En la Estancia de la Signatura se exaltan las grandes ideas neoplatónicas de lo Verdadero, lo Bueno y lo Bello. En la Estancia de Heliodoro está representada la protección que Dios da a su Iglesia en distintos acontecimientos de la historia. En la Estancia del Incendio del Borgo se describe el programa político de la Iglesia en tiempos de León X Medici, sucesor de Julio II.

En los diez años de pontificado de Julio II —de 1503 a 1513— se realiza uno de los encuentros más fecundos de la historia entre el vasto programa de un Papa y la extraordinaria capacidad creadora e innovadora de los artistas. Además de ser famoso por la bóveda de la Sixtina y las Estancias de Rafael, el nombre de Julio II está vinculado a la construcción del nuevo San Pedro: bajo su pontificado se reanudaron los trabajos de demolición comenzados por Nicolás V Parentucelli e interrumpidos desde hacía medio siglo y se dio una nueva fachada al palacio papal. Esas dos tareas fueron encomendadas a Bramante, originario de Urbino como Rafael.

La Sixtina requiere una visita detenida en nuestro recorrido por el palacio apostólico. A los 22 años de terminada la bóveda, Miguel Ángel fue llamado nuevamente —esta vez, por el Papa Pablo III Farnese— para que pintara al fresco el Juicio Final. De 1536 a 1541, el artista creó una obra de arte admirable: en 450 "jornadas", realizó 314 figuras en un vertiginoso movimiento ascendente y descendente de ángeles y demonios, condenados y bienaventurados, colocando al centro a Cristo-Juez con expresión severa. Vasari consideró el Juicio Final como el punto culminante de todo el arte pictórico. Lo confirma el entusiasmo de nuestra generación que ha podido contemplar los colores originales después de la laboriosa limpieza de los frescos.

Lugar de la acción del Espíritu Santo

La Capilla Sixtina es un eje fundamental de articulación del Vaticano. No sólo por el hecho de que, desde el momento en que «toda Roma se amontonó» para ver la bóveda, es el monumento que ejerce mayor atracción entre los visitantes, sino porque encierra el relato más sublime y dramático de la historia humana: de la creación hasta el último día, y del pecado a la redención, hasta el juicio final. La catequesis artística más elevada, representada en sus paredes, habla sin interrupción desde hace ya más de cuatro siglos. Sin embargo, la Sixtina no es sólo esto.

Sus dimensiones —40,5 metros por 13,5— corresponden exactamente a las del templo de Salomón y ofrecen un ulterior argumento para identificar a Roma como la nueva Jerusalén. Además, es particularmente sagrada para la comunidad católica como «lugar de la acción del Espíritu Santo», por los numerosos cónclaves que en ella se han celebrado en el transcurso de cinco siglos: aquí ha actuado el Espíritu Santo, iluminando a los Cardenales sobre el nombre que han de votar para elegir al nuevo Papa.

La residencia pontificia en Aviñón *(arriba, detalle del mapa de Venaissin, en la Galería de los Mapas), construida durante el pontificado de Clemente VI (1342-52).*

La corte pontificia *(a la derecha) se trasladó a Aviñón en 1309 con el Papa Clemente V, bajo la protección del rey de Francia. Volvió a Roma, al Vaticano, en 1377, con Gregorio XI, representado aquí a su regreso a Roma (Hospital de Santa Maria della Scala en Siena. Pintura al fresco de Benvenuto di Giovanni del Guasta, 1501).*

Aspecto del *palacio medieval, con las torres en las esquinas, en el detalle de una xilografía de la «Cosmographia Universalis» de Sebastian Munster (1550) que reproduce un grabado en cobre de 1480 del florentino Francesco Rosselli. A la derecha, desproporcionado, en lo alto de la colina, se ve el Palacete del Belvedere (Bel Videre), construido en los jardines para el Papa Inocencio VIII. En la zona de abajo, el Castillo Sant'Angelo como era antes de las reestructuraciones realizadas por Alejandro VI.*

El 8 de abril de 1994, Juan Pablo II, al inaugurar el Juicio Final restaurado, presentó la Sixtina como «santuario de la teología del cuerpo humano». «Por muchos que sean los límites intrínsecos que tiene la imagen —agregó el Papa— aquí se ha expresado todo lo que se podía decir de la infinita majestad divina». Salimos de la Sixtina asombrados y sin palabras ante tanto esplendor. Seguimos por los palacios pontificios sintiendo no poder contemplar otras maravillas como la Capilla Paulina, donde están los dos frescos de Miguel Ángel que representan la conversión de Saulo y la crucifixión de Pedro: otra lección sobre la obra de la Gracia divina en los dos apóstoles.

Con la nueva fachada del palacio papal hacia Roma, es decir, su lado oriental, el Papa Julio II quería transformar el oscuro castillo medieval en una luminosa residencia del Renacimiento. Demostrando gran originalidad, Bramante agregó a la antigua construcción tres órdenes de nuevas y amplias logias apoyadas en arcos. La obra fue terminada por Rafael, quien modificó la tercera logia reemplazando los arcos y los pilares por un cornisamiento que descansa en livianas semicolumnas. Esta logia, destinada entonces al Cardenal Bibbiena, estrecho colaborador de León X Medici en el gobierno de la Iglesia, es hoy la sede de la Secretaría de Estado.

Grandes cambios se produjeron contemporáneamente también en el interior de la residencia pontificia. En 1538, bajo el pontificado de Pablo III Farnese, Antonio da Sangallo el Joven transformó la Sala Regia, destinada a recibir soberanos y embajadores, en una grandiosa aula. Cuarenta años después, Giorgo Vasari, Taddeo Zuccari y otros artistas menores decoraron sus paredes con frescos sobre acontecimientos significativos de la historia de la Iglesia y del cristianismo para recordar la supremacía no sólo espiritual, sino también política, del papado, respecto a los reinos cristianos. A la Sala Regia dan las entradas de las capillas Sixtina y Paulina y de la Sala Ducal, donde se celebraban las ceremonias importantes en la Edad Media; esta sala está formada por dos aulas contiguas, pero con ejes divergentes; Gian Lorenzo Bernini las unió ocultando la divergencia mediante una cortina de estuco sostenida por unos amorcillos. En el lado norte del palacio papal, Gregorio XIII Boncompagni (1572-85) hizo levantar otro edificio con logias, que continuaba el de Bramante, cerrando así, por el septentrión, el Patio de San Dámaso. En el lado oriental, Sixto V Peretti mandó construir a Domenico Fontana, en 1589, un austero edificio cuadrilátero con logias sobre el patio. Las fachadas de los pisos altos ya no reflejan el gusto renacentista sino el rigor de la Contrarreforma. El palacio, construido sobre un bastión, visto desde abajo se presenta como una fortaleza. Cuando Bernini levantó la columnata, estableció definitivamente la entrada principal de los palacios apostólicos. Colocó el portón de Bronce en el punto de unión entre la columnata y el pórtico del lado septentrional. Desde el portón sube una escalera imponente hacia el ala más antigua del palacio medieval que lleva a la Sala Regia.

Un radar para las necesidades del mundo

Todos levantamos los ojos hacia este palacio que es la casa del Papa, especialmente el domingo —en el momento del Ángelus— cuando él se asoma a la ventana de su estudio privado. Desde finales del siglo XVI hasta 1870, sus antecesores prefirieron residir en el palacio del Quirinal, en una zona más sana. Sólo después de la toma de la Puerta Pía regresaron al Vaticano, adaptándose a vivir en el segundo piso, quizás con la esperanza secreta de que sería una situación provisional.

A León XIII Pecci no le molestaba vivir en esos amplios salones poco confortables, aunque dormía en una pequeña habitación del primer piso. Pío X Sarto, en cambio, mandó arreglar un apartamento privado en el tercer piso. Desde entonces, la parte privada de la casa del Papa ha estado siempre allí. Se han hecho sólo algunos cambios en las habitaciones, según las costumbres personales del dueño de casa.

Pablo VI Montini hizo construir un jardín pénsil en el techo, donde el Papa pasea, ora, lee el breviario, prepara mentalmente los discursos, reflexiona sobre las iniciativas que se han de tomar e incluso estudia los idiomas antes de sus viajes pastorales. Hasta la llegada del Papa Wojtyla, el apartamento privado era verdaderamente «secreto», pues muy pocas personas tenían acceso a él. Ahora esas habitaciones ya no son un misterio para muchos. Todas las mañanas, unas 30-40 personas pueden asistir a la misa celebrada por el Santo Padre en la capilla privada. Diariamente no faltan invitados a su mesa: las comidas son ocasión de encuentros de trabajo e intercambios de opiniones.

En las trece habitaciones del segundo piso —las más amplias son la Biblioteca y las salas Clementina y del Consistorio— todos los días, exceptuando los miércoles y los domingos, el Papa recibe durante dos horas a los obispos y a distintas personalidades de todo el mundo, y también grupos particulares.

Diariamente, el mundo entero y la Iglesia universal entran en casa del Pontífice llevándole sus esperanzas y, sobre todo, sus dolores, tragedias y angustias. En el palacio apostólico, un radar invisible capta todas esas necesidades para transformarlas en oración cotidiana. Las dos habitaciones que constituyen el núcleo de la actividad del Pontífice son la capilla y el estudio. En la capilla transcurre por lo menos tres horas diarias, en silenciosa conversación con Dios, entre una actividad y otra. Desde el estudio, cuya ventana es la más célebre del mundo, habla a los millones de personas que todos los domingos se reúnen en la plaza a la hora del Ángelus. El Papa trabaja en esta habitación durante unas seis horas: estudia, redacta documentos, escribe discursos y examina los expedientes que le llegan de la Secretaría de Estado —situada en la tercera logia— y de los otros Dicasterios de la Curia romana.

La Plaza de San Pedro y el Palacio Apostólico.

Las estructuras medievales del palacio construido por Nicolás V son aún visibles del lado septentrional, donde se abren, en la parte baja, las ventanas de la Biblioteca de Sixto IV (detrás de la exedra), del Apartamento Borgia y de las Estancias de Rafael, o sea, el Apartamento de Julio II. A la derecha, la Torre Borgia erigida por el Papa Alejandro VI; en esa época tenía la función de bastión hacia el noroeste. La exedra que se ve en la parte baja, con la que comienza el Patio del Belvedere, es obra de Pirro Ligorio (1565). Los dos últimos pisos fueron realizados bajo el pontificado de Pío XII para ampliar la Secretaría de Estado.

El Portón de Bronce (a la derecha) –puerta de entrada a los Palacios del Vaticano en la época del Papa Pablo V– fue colocado por Bernini en el extremo del Brazo de Constantino.

El Patio de San Dámaso *es el centro alrededor del cual se han articulado, en el transcurso de los siglos, los tres cuerpos de la morada pontificia. A la izquierda, las logias que Bramante y Rafael apoyaron al palacio medieval en los años 1508-19. Estas constituyeron el modelo para las fachadas de las otras alas de la construcción. En el centro, el ala de Gregorio XIII, comenzada con Pío IV. A la derecha, el edificio construido por Domenico Fontana para Sixto V. El patio lleva el nombre del Pontífice que, en la segunda mitad del siglo IV, mandó canalizar las aguas que corrían en este lugar y causaban daño a la basílica.*

El llamado Brazo de Constantino *(por la estatua del Emperador, realizada por Bernini, que se asoma al atrio de la basílica) y la* Escalera Regia *constituyen la entrada a los palacios construida por Bernini cuando reestructuró la Plaza de San Pedro.*

Palacio Apostólico. Sala Vieja de los Suizos. *Techo de Giovanni Barile, probablemente según dibujo de Rafael. Frescos de Mario da Faenza y alumnos. En las paredes están representadas las figuras alegóricas de quince Virtudes, en parte en colores y en parte en claroscuro, enmarcadas por una falsa arquitectura con guirlandas de flores y frutos sostenidas por amorcillos.*

Palacio Apostólico. Primera Sala de los Ornamentos. *Los ricos frisos con historias tomadas de los Hechos de los Apóstoles, a las que se alternan representaciones de las virtudes y figuras simbólicas, son obra de numerosos pintores, entre ellos Marco da Faenza, Giovanni Battista della Marca y Paris Nogari, bajo la dirección de Mario Sabbatini. Los suntuosos techos de madera tallados y dorados, realizados en 1563 durante el pontificado de Pío IV, fueron restaurados bajo Gregorio XIII.*

La *Capilla Nicolina*. De vuelta a Roma, el Papado realizó un programa de saneamiento de la ciudad y del Vaticano. En la capilla privada del Papa Nicolás V Parentucelli, el dominico Fray Giovanni da Fiesole, llamado Beato Angélico, pintó en los años 1447-51 escenas de la vida de los santos diáconos: de Esteban en los lunetos, y de Lorenzo en la franja inferior. La perspectiva de las composiciones es típica de las obras del primer Renacimiento florentino.

Beato Angélico. Bóveda de la Capilla Nicolina. *En las enjutas de la bóveda, con al fondo el cielo estrellado, están representados los cuatro evangelistas: San Lucas, que lee, y el toro; San Juan, que medita, y el águila; San Marcos, que escribe, y el león; San Mateo, en un momento de inspiración, y el ángel.*

La predicación de San Esteban y la disputa en el sanedrín.

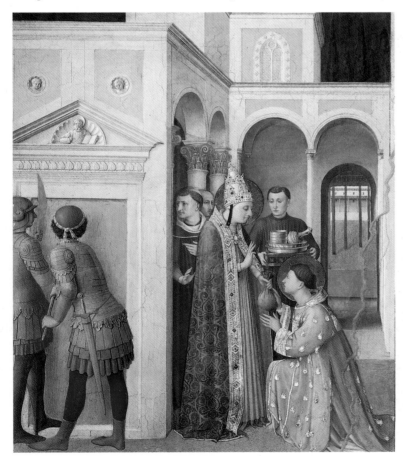

San Sixto entrega los tesoros de la Iglesia a San Lorenzo.

San Lorenzo da limosna a los pobres.

La *Capilla Sixtina* antes de Julio II, mirando hacia la pared del altar. La bóveda, más tarde pintada al fresco por Miguel Ángel, está decorada con un firmamento azul con estrellas de madera doradas, realizado por Pier Matteo d'Amelia (a la izquierda). La superficie rectangular de la capilla mide 40,23 x 13,41 m., las mismas dimensiones que el Templo de Salomón. Tiene 20,70 m. de altura. La franja inferior está decorada con frescos que simulan cortinas. En la franja superior, entre las ventanas, las imágenes de los primeros 31 Papas santos (genealogía de los Obispos de Roma). La galería de los Pontífices, así como las historias representadas en la franja intermedia, comenzaban en la pared del altar donde Miguel Ángel pintó el Juicio Final. Las incrustaciones del piso con piedras polícromas se inspiran en los pisos de las iglesias medievales. El coro y la barandilla de mármol son obra de Mino da Fiésole y colaboradores; en la segunda mitad del siglo XVI se corrió la barandilla algunos metros para dar mayor espacio al presbiterio.

Capilla Sixtina. Domenico Ghirlandaio. El Papa San Víctor I (189-199).

Capilla Sixtina. Fray Diamante. El Papa San Urbano I (222-230).

Los tapices de Rafael *colgados en la Capilla Sixtina con ocasión de la Pascua de 1983.*

⇨

Vista de la Capilla Sixtina después de la obra de restauración.

Capilla Sixtina. *Historias del Antiguo y del Nuevo Testamento.* Los dos ciclos pictóricos, síntesis madura de la cultura figurativa umbro-toscana del primer Renacimiento, fueron comenzados a fines de 1481. Los episodios de la vida de Moisés y de Cristo son siete en cada pared.

Los cuatro frescos de las paredes del altar y de la entrada se perdieron. Los dos primeros, para ser reemplazados por el Juicio Final; los otros, debido a un derrumbamiento de la pared en 1522 (La disputa sobre el cuerpo de Moisés, de Luca Signorelli, y la Resurrección de Cristo, de Ghirlandaio, fueron pintadas nuevamente a fines del siglo XVI por Matteo da Lecce y Hendrick van den Broeck, llamado el Paludano).

El programa iconográfico –dictado ciertamente por Sixto IV y centrado en la exaltación del primado universal del Pontífice Romano por encima de cualquier otro poder– fue confiado por el Papa a Pietro Perugino, con quien colaboraron su ayudante, Pinturicchio, y Cosimo Rosselli, Piero di Cosimo, Sandro Botticelli, Domenico Ghirlandaio y Luca Signorelli. El 15 de agosto de 1483 fue inaugurada la capilla y dedicada a la Asunción de la Virgen.

Perugino y Pinturicchio. El Viaje de Moisés a Egipto, *después de la obra de restauración.*

Sandro Botticelli. Episodios de la vida de Moisés.

Cosimo Rosselli. El Paso del Mar Rojo.

Sandro Botticelli. Episodios de la vida de Moisés, *detalle*.

Cosimo Rosselli y Piero di Cosimo. La Entrega de las Tablas de la Ley.

Sandro Botticelli. El Castigo de Coré, Datán y Abirón.

Luca Signorelli. Testamento y muerte de Moisés.

Luca Signorelli. Testamento
y muerte de Moisés, *detalle.*

Perugino y Pinturicchio. El Bautismo de Cristo.

Sandro Botticelli. Las Tentaciones de Cristo y la purificación del leproso.

Sandro Botticelli. Las Tentaciones de Cristo y la purificación del leproso, *detalle.*

Domenico Ghirlandaio. Vocación de los primeros apóstoles.

Cosimo Rosselli y Piero di Cosimo. El Sermón de la montaña y la curación del leproso.

Domenico Ghirlandaio. Vocación de los primeros apóstoles, *detalle.*

Perugino. La Entrega de las llaves.

Cosimo Rosselli. La Última Cena.

Perugino. La Entrega de las llaves, *detalle.*

Bóveda de la Sixtina. Miguel Ángel comenzó los trabajos de la bóveda, a petición del Papa Julio II della Rovere (1503-1513), el 10 de mayo de 1508 (fecha del contrato). Inicialmente el proyecto consistía en pintar las figuras de los 12 apóstoles en los salmeres de los lunetos. Pero para la creatividad del maestro esto era "cosa pobre". Así, pues, el Papa le autorizó un plan de composición propio, mucho más amplio y articulado, tanto desde un punto de vista arquitectónico como iconográfico. Es posible que Buonarroti haya seguido las indicaciones precisas de algunos teólogos doctos de la corte papal para la concepción de un programa tan sólido, incluso bajo el aspecto teológico. Al centro de la bóveda, están representadas las nueve *Historias del Génesis*. En la zona intermedia, la presencia de los tronos de los *Videntes* (Profetas y Sibilas) introduce un ulterior significado respecto a aquél de tipo "histórico" de las imágenes del Antiguo Testamento; el don de la profecía, del que algunos estuvieron dotados por iluminación divina, da una nueva clave de lectura –la de la Redención– para las escenas del Antiguo Testamento: la *Embriaguez de Noé* se transforma así en imagen de Cristo escarnecido; el *Diluvio*, en imagen del Bautismo; el *Sacrificio de Noé*, en imagen de la Pasión, etc. Los *Antepasados de Cristo*, que figuran en las enjutas y en los lunetos según el orden indicado al principio del Evangelio de Mateo de la genealogía de Cristo hasta Abraham, quedan excluídos de ese mundo más alto porque no conocieron la Revelación y representan, de generación en generación, la esperanza y la espera de la Redención. A esa misma categoría pertenecen las escenas que muestran la liberación milagrosa del pueblo elegido en las cuatro enjutas de los ángulos (*Judit y Holofernes*, *David y Goliat*, la *Serpiente de bronce* y el *Castigo de Amán*). El primero de noviembre de 1512, terminada la obra, el Pontífice rezó las Vísperas en la Capilla dedicada a la Asunción de la Virgen.

La Creación de los astros y las plantas (arriba). «Dijo Dios: "Haya luceros en el firmamento celeste, para apartar el día de la noche, y valgan de señales para solemnidades, días y años".... Hizo Dios los dos luceros mayores; el lucero grande para el dominio del día, y el lucero pequeño para el dominio de la noche, y las estrellas. ... Y vio Dios que estaba bien» (cf. Génesis 1, 14-15.31). Miguel Ángel, con un expediente visual muy original, representa a Dios de frente y de espaldas, como viendo por todas partes lo que ha creado para poder "complacerse".

Las tres primeras escenas bíblicas se presentan claramente como un tríptico sobre la creación del universo, dominado por la presencia poderosa del Creador que, lanzado en el aire y sostenido por un fuerte viento, plasma los espacios ilimitados que están a sus pies.

La Separación de la luz y las tinieblas (abajo). «Dijo Dios: "Haya luz", y hubo luz. Vio Dios que la luz estaba bien, y apartó Dios la luz de la oscuridad; y llamó Dios a la luz Día, y a la oscuridad la llamó Noche» (cf. Génesis 1, 4-5).

⇨

La Separación de la tierra y las aguas. «E hizo Dios el firmamento; y apartó las aguas... Y llamó Dios al firmamento Cielos» (cf. Génesis 1, 7-8).

Miguel Ángel dedica otro tríptico –que se presenta a continuación– a la creación del hombre y de la mujer y al pecado original, y lo coloca al centro de la bóveda.

⇨
*En las páginas centrales,
vista general de la Bóveda de la Capilla Sixtina.*

La Creación de Eva *(arriba). « No es bueno que el hombre esté solo; voy a proporcionarle una ayuda adecuada. ... Dios hizo caer al hombre en un letargo, y mientras dormía le sacó una costilla y llenó el hueco con carne. Después, de la costilla que había sacado al hombre, el Señor Dios formó una mujer. ... Estaban ambos desnudos, el hombre y su mujer, pero no sentían vergüenza » (cf. Génesis 2, 18. 21-22. 25).*

⇨

La Creación de Adán. *« El Señor Dios formó al hombre del polvo de la tierra, sopló en su nariz un hálito de vida, y el hombre se convirtió en un ser viviente » (cf. Génesis 2, 7). La escena de la Creación de Adán, pintada por Miguel Ángel Buonarroti en 1512 en la bóveda de la Capilla Sixtina, constituye una de las obras maestras del arte de todos los tiempos y uno de los momentos más elevados e intensos de la decoración de la bóveda. El Creador, sostenido en el cielo por los ángeles, da la vida a Adán, desnudo e inerte, rozándole la mano. El autor contrapone la potencia de Dios a la vulnerabilidad de Adán, dando una forma concreta visual a Dios Padre, espíritu puro que crea con el solo pensamiento. La composición muestra la habilidad de Miguel Ángel en animar las figuras de Adán y de Dios, desarrolladas en línea horizontal, con un leve movimiento en los brazos que se extienden.*

ESAIAS

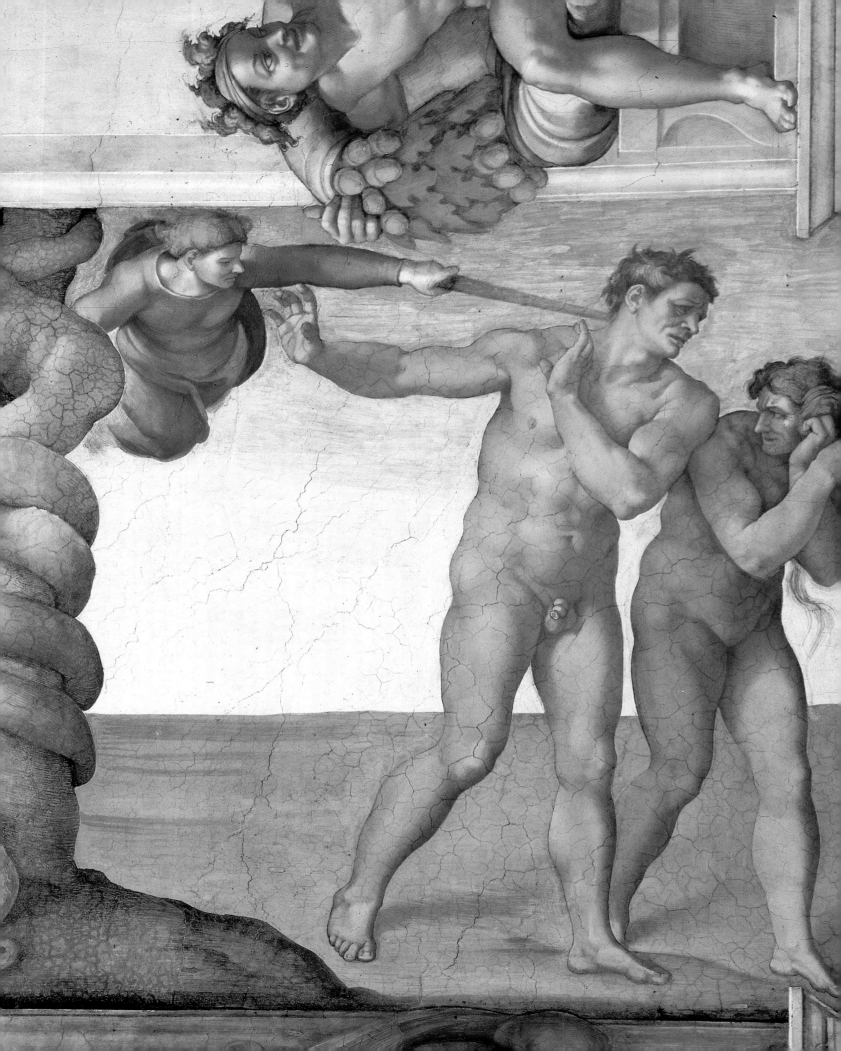

⇦

El Pecado Original *y la* Expulsión del Paraíso. *La interpretación de Miguel Ángel, en la escena del Pecado Original, es distinta de la tradicional. Adán es el que toma el fruto prohibido del árbol, mientras Eva, inclinada y en actitud pasiva, lo recibe a la serpiente. Miguel Ángel representa en una misma escena y de una manera totalmente nueva los episodios de la Tentación y de la Expulsión del Paraíso: la causa y el efecto están aislados pero, al mismo tiempo, íntimamente unidos por el árbol del Bien y del Mal en el cual se halla envuelto el demonio tentador con figura femenina.*

⇨

La Embriaguez de Noé. *«Noé, que era agricultor, plantó la primera viña. Bebió su vino, se emborrachó, y se quedó desnudo dentro de la tienda» (cf. Génesis 9, 20-22).*

Las historias de Noé fueron las primeras que pintó Miguel Ángel. Narran los episodios principales de la vida de Noé: la *Embriaguez de Noé* (arriba) y el escarnio de sus hijos; el *Diluvio universal* (abajo) y el *Sacrificio de Noé* (página siguiente) en agradecimiento a Dios por haberle salvado de las aguas.

El Diluvio Universal *(abajo). «Y estuvo lloviendo sobre la tierra cuarenta días y cuarenta noches... Perecieron todos los seres vivos que habitaban la tierra firme... Tan sólo quedó Noé y los que estaban con él en el arca» (cf. Génesis 7, 12. 20-22).*

El Diluvio Universal, *detalle (arriba)*. Miguel Ángel da al arca la forma de una catedral, aludiendo claramente a la Iglesia, «nueva arca» de salvación para todos los pueblos.

El Sacrificio de Noé *(a la izquierda)*. «*Noé levantó un altar al Señor y, tomando animales puros y aves puras de todas las especies, ofreció holocaustos sobre él*» (cf. Génesis 8, 20).

Judit y Holofernes. *Judit es una de las heroínas de Israel porque, en un momento crítico de la historia de su pueblo, logra con un estratagema matar al jefe de las fuerzas enemigas que asediaban la ciudad. Miguel Ángel representa el momento final de su acción liberadora:* «Le dio dos golpes en el cuello con toda su fuerza y le cortó la cabeza... Desenganchó de los postes el dosel. Salió... y entregó a su criada la cabeza de Holofernes» *(cf. Judit 13, 8-9).*

David y Goliat. «Así, con la honda y la piedra, venció David al filisteo. Lo mató de un golpe, sin empuñar la espada. Fue corriendo hasta donde estaba el filisteo, le sacó la espada de la vaina, lo remató y le cortó la cabeza» (cf. Samuel 17, 50-51).

La Serpiente de Bronce. «*Los israelitas partieron del monte Hor camino del Mar Rojo. En el camino, el pueblo comenzó a impacientarse y a murmurar contra el Señor y contra Moisés... El Señor envió entonces contra el pueblo serpientes muy venenosas que los mordían. Murió mucha gente de Israel... Moisés intercedió por el pueblo y el Señor le respondió: "Hazte una serpiente de bronce, ponla en un asta, y todos los que hayan sido mordidos y la miren quedarán curados"*» (cf. Números 21, 4-8).

El Castigo de Amán. «*El rey y Amán fueron al banquete de la reina Ester. Y el rey preguntó a la reina Ester: –¿Cuál es tu petición, reina Ester? Respondió la reina Ester: –Si gozo, mi rey, de tu favor, concédeme la vida; mi vida y la de mi pueblo. Pues hemos sido condenados a ser exterminados. ... Preguntó el rey Asuero a la reina Ester: –¿Quién es, dónde está el que intenta hacer eso? Respondió Ester: –¡El opresor y enemigo es ese malvado Amán!... El rey ordenó: –Colgadlo allí. Y ahorcaron a Amán en la horca que había preparado para Mardoqueo. Así se aplacó la ira del rey*» (cf. Ester 7, 1-3.5-6.9.10).

Parejas de desnudos con medallones que representan a Elías arrebatado en el carro de fuego (arriba) y el sacrificio que ofreció Abraham de su hijo Isaac (abajo).

El *Juicio final*: En 1536, bajo el pontificado de Pablo III Farnese (1534-1549) –algo más de veinte años después de terminada la bóveda– Miguel Ángel, pasados los sesenta años de edad, comenzó a pintar en la pared del altar el fresco del Juicio Final como advertencia perenne sobre la transitoriedad de la vida y del universo. Para representar el *Dies irae* (Día del juicio) en toda la pared, Miguel Ángel tuvo que sacrificar las pinturas del siglo XV, obra de Perugino, y dos lunetos con los Antepasados de Cristo que él mismo había realizado en 1512. Núcleo de la grandiosa composición, con casi 400 personajes, es la figura del Cristo Juez a cuyo alrededor se desarrolla toda la representación. Junto a él, la Virgen, en una actitud resignada y triste, parece ajena al movimiento vertiginoso hacia arriba y hacia abajo que anima a todos los demás personajes. En la zona superior, correspondiente a los lunetos y también ajena al movimiento externo, unos grupos de ángeles llevan los elementos de la Pasión. La corona formada por santos (nótese en la piel del martirio que San Bartolomé muestra al Juez el autorretrato de Miguel Ángel con expresión dolorida), apóstoles y mártires que rodea el grupo de Cristo y la Virgen, parece expresar angustia y preocupación por el veredicto que se acerca. La parte inferior del fresco está ocupada, en la zona central, por los ángeles que tocan las trompetas anunciando el Juicio, en medio de los que suben al cielo y de los que se ven arrastrados hacia el infierno. En la parte inmediatamente inferior, a la izquierda, la Resurrección de la Carne y, a la derecha, el transporte de los condenados en la barca de Caronte en dirección del juez de los infiernos, Minos. La obra maestra, terminada, fue descubierta en la víspera del día de Todos los Santos de 1541.

Detalle del Cristo Juez. *«Cuando venga el Hijo del hombre en su gloria ... separará a los justos de los malvados»* (cf. Mateo 25, 31-33).

❸

❶ *En la zona superior del Juicio Final, Miguel Ángel pintó unos grupos de ángeles sin alas que llevan por los aires los elementos de la Pasión de Cristo. En el luneto de la derecha, los ángeles sostienen y levantan la columna de la flagelación. Los cuerpos, modelados por el maestro con un espléndido resultado anatómico, se destacan en el cielo lleno de nubes, anunciando en un torbellino la nota dominante de la representación.*

❷ *En la parte inferior, a la derecha, Miguel Ángel colocó una escena del infierno inspirada en la Comedia de Dante. Dominan dos figuras mitológicas: la del piloto infernal Caronte y la del juez de los condenados, Minos, cuyos rasgos parecen ser los de Biagio da Cesena, uno de los primeros en criticar el fresco por la presencia excesiva de desnudos, hasta definirlo: «no una obra para la capilla del Papa, sino para tabernas».*

❸ *En el centro de la zona inferior del fresco, se destaca un grupo de ángeles que tocan las trompetas, anunciando el fin de los tiempos y la resurrección de la carne, cuando todos serán llamados ante el Juez y un libro donde todo está escrito revelará la sentencia inapelable y nada quedará oculto (cf. Tommaso da Celano, Dies Irae).*

❹ *El* Juicio Final, *detalle de un condenado.*

❹

Jeremías. «¡Ay mis entrañas, mis entrañas! ¡Me duelen las paredes del corazón. Se agita mi interior y no lo puedo acallar... Se anuncia desastre tras desastre, todo el país está devastado... ¿Hasta cuándo tendré que ver el estandarte y escuchar el toque de trompeta?» (cf. Jeremías 4, 19-21).

El Profeta de las «Lamentaciones», destrozado por el dolor y agobiado por funestos presagios, sufre por el castigo que incumbe a Jerusalén por sus infidelidades. En el rostro lleno de amargura y en la expresión de pesar del Vidente, algunos han intentado ver una referencia más o menos simbólica a Miguel Ángel.

Ezequiel. Dios dijo al Profeta Ezequiel: «Hijo de hombre, yo te envío a los israelitas, a ese pueblo que se ha rebelado siempre contra mí. Te envío a esos hijos obstinados y empedernidos... Entonces vi una mano extendida hacia mí con un libro enrollado. Lo desenrolló ante mí; estaba escrito por ambos lados y contenía lamentaciones, gemidos y amenazas» (cf. Ezequiel 2, 3-4.9-10).

Ezequiel, el Profeta en el cual se reúnen el espíritu profético y el espíritu sacerdotal, y cuya doctrina se centra en la renovación interior, lleva en sus manos el rollo de pergamino que Dios le ha dado, en una actitud de gran atención a las palabras que el Señor le dirige.

⇨

La Sibila Eritrea. Esta Sibila, de perfil puro y noble, hojea un gran libro apoyado en un atril. Uno de los niños que aparecen detrás enciende una lámpara; el otro se restriega los ojos como si se acabara de despertar.

ERITHRAEA

Zacarías. «*Salta de alegría, Sión, lanza gritos de júbilo, Jerusalén, porque se acerca tu rey, justo y victorioso, humilde y montado en un asno. ... Proclamará la paz a las naciones. Dominará de mar a mar, desde el Eufrates hasta los extremos de la tierra*» (cf. Zacarías 9, 9-10).
Con este Profeta, el maestro comenzó a pintar la serie de los Videntes. Sacerdote como Ezequiel, Zacarías, que sostuvo con la palabra de Dios a los que habían vuelto a Jerusalén después del exilio en Babilonia, se presenta como un robusto anciano sumido en la lectura.

Joel. *Dice el Señor: «Yo derramaré mi espíritu sobre todo hombre... y hasta sobre los siervos y las siervas. Y haré prodigios en el cielo y en la tierra, sangre, fuego y columnas de humo... Pero todo el que invoque el nombre del Señor se salvará*» (cf. Joel 3, 1ss.).
Este Profeta, de aspecto maduro, demacrado por las vigilias, está representado en la actitud de examinar con atención el rollo para captar el sentido de la profecía.

La Sibila Délfica. *Esta Sibila es la más admirada por su belleza física. Aparece en un momento de intensa inspiración. Estilísticamente, se acerca a las Madonas juveniles del maestro.*

La Sibila Cumana. Esta figura gigantesca, con el rostro gastado por el tiempo, se inclina hacia el libro que tiene abierto con sus manos grandes y fuertes.

Daniel. *«El año primero de Baltasar, rey de Babilonia, Daniel tuvo sueños y visiones mientras dormía. Apenas se despertó, puso por escrito lo que había soñado...» (cf. Daniel 7, 1-2).*
La expresión del joven Profeta refleja la turbación interior mientras escribe los sueños y visiones que ha tenido.

⇨

Isaías. *«Entonces oí la voz del Señor que decía: –¿A quién enviaré? ¿quién irá por nosotros? Respondí: –Aquí estoy yo, envíame. Él me dijo: –Vete a decir a este pueblo... » (cf. Isaías 6, 8-9). Isaías, el Profeta de la fe, el mayor entre los profetas que anunciaron la venida de Jesucristo, el Salvador, ha sido plasmado por Miguel Ángel en una actitud de respuesta al llamamiento de Dios.*

La Sibila Líbica. *El complejo movimiento de rotación de la joven Sibila, interpretado como el acto de cerrar y guardar el enorme volumen, es una de las invenciones más elegantes y dinámicas, signo de la gran madurez artística que alcanzó Miguel Ángel en aquel período.*

LIBICA

⇨

Jonás. *Entre los profetas, es el que ha sido representado con mayor frecuencia por la tradición artística. Su historia, y los elementos simbólicos que ella encierra, han despertado la fantasía de los artistas. He aquí como se describe su vocación en la Sagrada Escritura: «El Señor se dirigió a Jonás y le dijo: - Levántate, vete a Nínive, la gran ciudad, y proclama allí lo que yo te diré. Jonás se levantó y partió para Nínive, según la orden del Señor»* (cf. Jonás 3, 1-3).

La *limpieza de los frescos* de Miguel Ángel, comenzada en 1980, era impostergable, pues la cola que se había aplicado a los frescos en distintos momentos (esto consta en documentos, desde 1565) –pero de manera sistemática de 1710 a 1714, en toda la superficie– provocaba el desprendimiento de partículas de color al contraerse con los cambios de temperatura. Los análisis han demostrado que la tonalidad oscura se debía a capas de polvo y humo (producidas por las velas y lámparas de aceite) que se alternaban con otras capas de cola, utilizada para cubrir las florescencias salinas, debidas a infiltraciones de agua de lluvia, y para avivar el color que iba perdiendo el brillo con la mugre. El remedio demostró ser peor que el daño porque la cola, siendo una substancia transparente de proteínas animales, se altera y se oscurece con el tiempo. Mediante aplicaciones repetidas de paños mojados en una solución de bicarbonato de amonio, bicarbonato de sodio, desogen (bactericida y funguicida) y carbosilmetilcelulosa, se volvieron a lograr los colores originales. En las pocas partes pintadas al fresco seco se utilizaron disolventes orgánicos sin agua. La protección de los frescos queda encomendada, en adelante, ya no a la aplicación de preparaciones, sino al control del microclima de la capilla.

⇦
Detalle del Juicio Final *antes (arriba) y después (abajo) de la obra de restauración.*

⇨

La Creación de Adán *antes (arriba) y después (abajo) de la obra de restauración. La limpieza ha revelado claramente la gran calidad de la técnica de ejecución en la pintura al fresco de Miguel Ángel. Esta se caracteriza, ante todo, por el extremo cuidado en los particulares, realizados con rápidas pinceladas de color, y la uniformidad en el estilo, que permite atribuir todo el ciclo a una única mano.*

Para realizar los trabajos de restauración, fue construido un andamio siguiendo el modelo de Miguel Ángel, pero mucho más corto y móvil. El andamio del artista era fijo y cubría una mitad, y luego la otra mitad de la bóveda. Los agujeros en los cuales se apoyaban los rieles del nuevo andamio son los mismos que sirvieron para el de Miguel Ángel.

Bosquejo de Miguel Ángel conservado en el Gabinete de Diseños y Grabados de los Uffizi en Florencia; documenta cómo era el andamio levantado por el artista en la Capilla Sixtina.

Otro bosquejo de Miguel Ángel, conservado en el Archivo Buonarroti en Florencia, muestra con ironía el esfuerzo del artista.

Los restauradores a la obra en el andamio de la Sixtina. De perfil, Gianluigi Colalucci, responsable técnico; de espaldas, Maurizio Rossi; al fondo, Fabrizio Mancinelli, director científico.

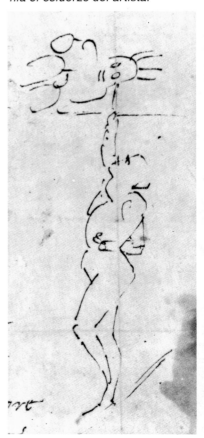

El *Apartamento Borgia* comprende las cuatro salas del primer piso del ala septentrional del palacio medieval, dos habitaciones adyacentes de la torre homónima mandada levantar por el Papa Alejandro VI Borgia en los años 1492-94 y algunas pequeñas habitaciones privadas situadas en el ala occidental del edificio. La rica decoración pictórica de las habitaciones del Apartamento Borgia se debe a Bernardino Betti da Perugia, llamado Pinturicchio, y a sus numerosos alumnos, quienes trabajaron en ella desde fines de 1492 hasta 1494. En el Apartamento Borgia, y en el piso que está bajo la Capilla Sixtina, se encuentra la Colección de Arte Religioso Moderno.

La Sala de los Pontífices, *la primera de la serie y la más espaciosa, se utilizaba para las funciones de gobierno eclesiásticas y profanas. La falsa bóveda, que reemplazó el antiguo artesonado medieval que se derrumbó en el año 1500, fue decorada bajo el pontificado de León X con estucos por Giovanni da Udine y con grutescos por Perin del Vaga; representan los signos del zodíaco, los planetas y las constelaciones. Los artistas se inspiraron en la llamada «bóveda dorada» de la Domus Aurea de Nerón situada en las cercanías del Coliseo y recién descubierta en esa época.*

En la Sala de los Misterios, *frescos con historias de la Virgen y de Cristo, pintados en gran parte por alumnos de Pinturicchio. El de la Anunciación (a la izquierda) ofrece un ejemplo del tema fundamental de la Roma cristiana del Renacimiento: la reivindicación de la cultura y del dominio de la Roma imperial. En una perspectiva típicamente renacentista, detrás de la representación de un misterio cristiano trazado con refinada elegancia naturalista, se levantan las estructuras de un arco de triunfo clásico y sirven de marco a Dios Padre que bendice desde el cielo de un risueño paisaje.*

Pinturicchio. Susana y los viejos, *como las demás composiciones de la Sala de los Santos, es obra autógrafa del maestro.*

La Música *(a la izquierda). En los lunetos de la Sala de las Artes Liberales se rinde homenaje a la cultura humanística. La Sala está dedicada a las Artes del Trivio (literarias) y del Cuadrivio (científicas) que, en la Edad Media, constituían las siete Artes Liberales (gramática, dialéctica, retórica, aritmética, geometría, música y astronomía).*

Sala de los Santos. Pinturicchio. La Disputa de Santa Catalina con el Emperador Maximino se desarrolla en un paisaje idilíco dominado por un arco de triunfo romano que evoca alegóricamente la Roma pagana.

Las *Estancias de Rafael* (el apartamento de Julio II y de León X). El Papa della Rovere, por recomendación de Bramante, arquitecto de la corte pontificia, comisionó a Rafael la decoración de las habitaciones del segundo piso del ala de Nicolás V que habían sido adaptadas como nuevo apartamento noble pontificio. A finales de 1508, a los veinticinco años de edad, el artista recién llegado a Roma comenzó la obra con la *Sala de la Signatura*, destinada a servir de estudio y biblioteca del Papa, con frescos de alto significado espiritual: alegorías de la fe, de la razón, de la moral, del derecho y del arte. En 1512, Rafael pasó a decorar la antigua antecámara, denominada *Estancia de Heliodoro* por uno de los frescos; la terminó a fines de 1514, en el segundo año de pontificado de León X Medici. El tema que se ilustra en esta Estancia es de carácter político: subraya el poder espiritual y temporal del papado. En la Estancia siguiente, que era el comedor privado, llamada *del Incendio* por la pintura más destacada, se repite el tema pictórico de la Estancia de Heliodoro (la afirmación del poder espiritual gracias a la acción política), pero exaltando al Papa reinante, León X, representado en todos los frescos, en los rostros de dos santos antecesores homónimos. Los frescos, realizados en los años 1514-17, se deben en gran parte a colaboradores de Rafael, en especial a Giulio Romano y Francesco Penni, quienes trabajaron con dibujos del maestro. La *Sala de Constantino*, destinada a recepciones y ceremonias oficiales, se llama así porque en ella aparecen acontecimientos significativos de la historia de la Iglesia relacionados con episodios históricos y legendarios de la vida del Emperador Constantino; fue decorada por Giulio Romano, Francesco Penni y sus respectivos alumnos, en los años 1517-24.

Estancia de la Signatura. Rafael. La Disputa de la Eucaristía *simboliza el triunfo de la teología, la Verdad sobrenatural. Cuatro grupos de figuras situadas en dos planos separados por una franja de cielo, convergen en la Eucaristía que aparece en el centro de la perspectiva. Sobre la tierra, la Iglesia militante está representada por los teólogos que discuten; en el cielo, santos, profetas y reyes bíblicos rodean a la Trinidad, que se halla en la vertical del ostensorio. A los lados del Espíritu Santo, los cuatro Evangelios a los pies de Cristo, la Virgen y el Bautista.*

Estancia de la Signatura. Rafael. Las Virtudes Cardinales *(figuras de mujeres)* y Teologales *(angelillos)*, arriba. La Fortaleza lleva en la mano, en vez de la tradicional columna, una rama de encina, símbolo de la familia della Rovere; la Prudencia bifronte se mira al espejo; la Templanza tiene las riendas. Falta aquí la Justicia, porque está representada en la bóveda. La Caridad recoge las bellotas de la rama de encina; en las manos de la Esperanza arde una llama y la Fe señala el cielo.

⇨

Estancia de la Signatura. Al francés Guillaume de Marcillat, vidriero de Verdun, invitado a Roma por Bramante, se deben las escenas que representan a Treboniano mientras entrega las Pandectas al Emperador Justiniano *(símbolo del Derecho Civil, a la izquierda)*, y a Gregorio IX que recibe las Decretales de las manos de san Raimundo de Peñafort *(símbolo del Derecho Canónico, a la derecha)*. Gregorio IX aparece con los rasgos de Julio II.

Estancia de la Signatura. Rafael. La Escuela de Atenas *(después de la obra de restauración)* exalta la razón, la Verdad natural. Un grupo de filósofos antiguos y contemporáneos están reunidos bajo las bóvedas de un aula de planta central, rematada por una cúpula, que prefigura el edificio de San Pedro. La majestuosa arquitectura fue sugerida al pintor por el amigo Bramante. Al centro, Platón, con el rostro de Leonardo, discute con Aristóteles moviendo las manos. Platón, con el índice levantado, señala el empíreo de las ideas como fuente de la sabiduría. Aristóteles, con la palma de la mano hacia el suelo, indica lo concreto y físico de la realidad. En primer plano, triste y solitario, Heráclito, con el rostro de Miguel Ángel, medita sobre el perpetuo fluir de las cosas. También en el centro, abandonado en las gradas, está Diógenes. A la derecha, inclinado sobre una pizarra, Euclides con los rasgos de Bramante; y después de Tolomeo y Zoroastro que llevan, respectivamente, el globo terrestre y la esfera celeste, los retratos del autor y del amigo Sodoma. Las monocromías del zócalo son posteriores; fueron realizadas por Perin del Vaga durante el pontificado de Pablo III Farnese, para reemplazar el revestimiento original en madera.

Estancia de la Signatura. Rafael. El
Parnaso (después de la obra de
restauración). Alegoría de la Belleza expresada en las imágenes de
la música y de la poesía: Apolo con
la lira de brazo, las nueve Musas, la
Épica (con la trompeta) y la Lírica
(con la cítara), en el centro de una
reunión de poetas.

Estancia de Heliodoro. Rafael. La Misa de Bolsena. El fresco recuerda el milagro ocurrido en 1263 en Bolsena, donde un sacerdote bohemio que dudaba del misterio de la transubstanciación vio brotar sangre de la hostia consagrada. El acontecimiento dio origen a la fiesta del Corpus Christi, instituída en 1264 por el Papa Urbano IV.

⇦

Bóveda de la Estancia de la Signatura. Alrededor de un octógono central, con los angelillos que sostienen el escudo de Nicolás V, cuatro medallones representan la Teología, la Justicia, la Filosofía y la Poesía. En los ángulos de la bóveda, cuatro recuadros rectangulares con la Tentación de Adán y Eva, el Juicio de Salomón, la Astronomía y Apolo y Marsia.

Rafael. Estancia de Heliodoro. La Liberación de Pedro. «... Estaba Pedro durmiendo entre dos soldados, atado con dos cadenas, mientras dos guardias vigilaban la entrada de la cárcel. En esto, el ángel del Señor se presentó y un resplandor inundó la estancia. El ángel tocó a Pedro en el costado y lo despertó diciendo: ¡Deprisa, levántate!. Y las cadenas se le cayeron de las manos... El ángel le dijo: Échate el manto y sígueme» (cf. 2 Hechos de los Apóstoles 12, 6-8).

Estancia de Heliodoro. Rafael. La Expulsión de Heliodoro del Templo *representa la inviolabilidad del patrimonio de la Iglesia. La presencia de Julio II, jefe de la Iglesia y jefe de un Estado, ofrece, en la composición, un claro testimonio de apoyo al poder temporal del Papado.*

Rafael. Estancia de Heliodoro. Expulsión de Heliodoro del Templo, *detalle. «Se les apareció un caballo, montado por un terrible jinete y enjaezado con riquísima montura. El caballo pateó con sus pezuñas delanteras a Heliodoro; el jinete llevaba armadura de oro. Aparecieron también dos jóvenes fuertes, de aspecto majestuoso, magníficamente vestidos, que se pusieron uno a cada lado de Heliodoro, y le propinaron una lluvia de azotes. Heliodoro cayó en tierra, envuelto en profunda oscuridad» (cf. Macabeos 3, 25-27).*

Estancia de Heliodoro. Rafael y alumnos. El Encuentro de León Magno con Atila *se refiere a la supremacía del poder espiritual sobre el temporal. El Papa tiene los rasgos de León X Medici en actitud pacífica, en contraste con el enérgico predecesor.*

Bóveda de la Estancia de Heliodoro. *Rafael. En los episodios del Génesis (Sacrificio de Isaac, la Zarza ardiente, la Escalera de Jacob, Yahvé que se aparece a Noé), pintados probablemente por los alumnos según cartones del maestro, se nota la influencia de Miguel Ángel, quien hacía poco tiempo había terminado la bóveda de la Sixtina.*

Estancia del Incendio. Alumnos de Rafael. En el Incendio del Borgo, *que recuerda la intervención milagrosa en el año 847 del Papa León IV, fundador de la Ciudad Leonina, está reproducida la fachada de la antigua basílica constantiniana antes de la demolición (1608). El detalle de la izquierda, que evoca la huída de Eneas con su padre y su hijito de la ciudad de Troya en llamas, es probablemente obra de Rafael. El zócalo fue pintado por Giulio Romano.*

⇨

Estancia del Incendio. Alumnos de Rafael. Incendio del Borgo, *detalle. Entre los personajes que animan la escena del incendio, tiene especial importancia e intensidad el grupo de mujeres a la derecha que intentan afanosamente apagar las llamas.*

La Batalla de Ostia, *que exalta la victoria de León IV contra los Sarracenos, se refiere al proyecto de León X,*
cuyo rostro reemplaza el de León IV, de emprender una cruzada contra los Turcos.

Bóveda de la Estancia del Incendio. *Pietro Vannucci, llamado Perugino. La decoración con las Alegorías de la*
Santísima Trinidad es obra del maestro de Rafael, quien la realizó en 1507-8, antes de que el alumno llegara
a Roma.

⇨

Sala de los Claroscuros, *llamada también «de los Palafreneros». Era la antecámara del apartamento pontificio y estaba destinada a ceremonias públicas y privadas. Fue decorada por los alumnos de Rafael según dibujos del maestro, pero los frescos fueron destruídos (1558) durante el pontificado de Pablo IV para realizar infelices modificaciones arquitectónicas que luego fueron suspendidas. A partir del pontificado de Pío IV (1559-65), Taddeo y Federico Zuccari y otros pintores restauraron libremente con apóstoles y santos la decoración originaria; la obra fue terminada bajo el pontificado de Gregorio XIII, en 1582. La* Flagelación de Cristo, *grupo lígneo que se atribuye a la escuela de Umbría de fines del siglo XIV, adquirido por Pablo VI para los Museos Vaticanos.*

❶ *Sala de Constantino. Giulio Romano. La* Batalla del Puente Milvio, *a las puertas de Roma, en la que, con el signo de la cruz, Constantino derrotó a Majencio. Ese episodio del 28 de octubre del año 312 preanuncia la situación privilegiada de la cual gozará el Cristianismo mediante el Edicto de Milán del año 313.*

❷ *Sala de Constantino. Giulio Romano y Francesco Penni.* Donación de Roma *hecha por Constantino al Papa Silvestre I. Éste último está representado con los rasgos de Clemente VII Medici. Al fondo, el altar de San Pedro como era antes de la demolición del ábside de la antigua basílica constantiniana. La donación de Roma al Papado por Constantino es legendaria. Los orígenes del Estado de la Iglesia se remontan, en cambio, al año 722, en la época longobarda, cuando el Ducado de Roma pasó bajo la jurisdicción de la Santa Sede.*

Las Logias de Bramante y de Rafael. *Apoyadas a la fachada oriental de la residencia pontificia medieval, se deben a Donato Bramante que las comenzó para Julio II, probablemente en 1508. A la muerte del arquitecto (11 de marzo de 1514), la obra había llegado hasta el segundo orden de logias. Rafael, que sucedió a Bramante en la dirección de los trabajos, terminó la Segunda Logia y, siguiendo los cánones de Vitruvio, coronó la obra en 1519 con un peristilo adintelado. Hoy día es la entrada al apartamento de la Secretaría de Estado. En la Primera Logia (abajo, a la derecha), que corresponde al nivel del Apartamento Borgia, la decoración pictórica con falsas pérgolas y grutescos es de Giovanni da Udine, alumno de Rafael, que la terminó después de 1519; más adelante, en 1560-64, con la ayuda de colaboradores, decoró las bovedillas (cuadros alegóricos, estucos y grutescos) de la Tercera Logia, llamada de la Cosmografía (abajo, a la izquierda) por los frescos con mapas (países de Europa, Asia y África), una novedad para la época, pintados por Antonio Vanosino da Varese según cartones de Etienne Dupérac.*

Vista de la Segunda Logia hacia el Norte. La obra a la cual el Papa León X (1513-1521) debe su gloria es, sin lugar a dudas, la decoración de las Logias de San Dámaso y, en especial, de la Segunda Logia, más conocida con el nombre de Logia de Rafael. La estructura interior está completamente cubierta por pinturas de grutescos y pequeños bajorrelieves y adornos en estuco, en su mayoría inspirados en el arte clásico. La cubierta concebida por Rafael, con un lacunario central plano y cinco espejos casi planos, ofrecía un terreno ideal para colocar cuadros figurados. En ellos se desarrolla la secuencia de la llamada Biblia de Rafael: las trece bovedillas de la Logia llevan, cada una, cuatro frescos con escenas del Antiguo Testamento, menos la última hacia el norte donde aparecen episodios del Evangelio.

La Biblia de Rafael. *En cada una de las cuatro bovedillas de las las doce primeras arcadas aparecen episodios bíblicos tomados del Antiguo Testamento y, en las bovedillas de la décimatercera arcada, escenas del Nuevo Testamento.*

Dios separa la tierra y las aguas.

La creación de los animales.

Adán y Eva expulsados del Paraíso.

El sacrificio de Noé.

La fuga de Lot de Sodoma.

Jacob se encuentra con Raquel.

El sueño de Jacob.

Moisés salvado de las aguas.

El agua mana de la roca.

La adoración del becerro de oro.

El triunfo de David.

El juicio de Salomón.

Festón, *detalle del luneto en la sexta arcada de la Segunda Logia.*

⇨

Pilar *situado entre la segunda y la tercera arcada de la Segunda Logia, parte superior.*

Pared interna *de la segunda arcada de la Segunda Logia.*

En el primer piso del palacio se conserva la Stufetta *(sala de baño)* de Clemente VII Medici *(arriba, a la izquierda)*. Un pequeño paralelepípedo de 2,60 x 1,92 m. y 2 m. de altura, decorado con grutescos, probablemente por los mismos alumnos de Rafael que trabajaban en la Sala de Constantino.

Las pinturas de la Stufetta *(arriba, a la derecha)* y de la Pequeña Logia del Cardenal Bernardo Dovizi *(en la página siguiente)*, llamado el Bibbiena por su ciudad natal y colaborador de León X, fueron realizadas por Rafael y sus alumnos en 1516-19, imitando las pinturas romanas de las paredes de la Domus Aurea. Los dos ambientes se hallan en el mismo nivel de la Tercera Logia de Rafael *(Logia de la Cosmografía)*, hoy destinada a la Secretaría de Estado.

Stufetta *(a la derecha)* del Cardenal Bernardo Dovizi, detalle de las pinturas de las paredes.

⇦

Detalle de la bovedilla de la octava arcada. *Historias de Moisés: Moisés salvado de las aguas, la Zarza ardiente, el Paso del Mar Rojo y el prodigio del Agua que mana de la roca.*

En el apartamento situado detrás de la Tercera Logia están las oficinas de la Secretaría de Estado (a la derecha), órgano central que ejecuta las disposiciones del Papa y coordina los Dicasterios de la Curia Romana. La Secretaría de Estado adquirió importancia durante el Concilio de Trento, recordado en el fresco de Giovanni Antonio Vanosino (a la derecha, abajo) que se encuentra en la pared del fondo de la Anticámara de la Secretaría de Estado.

Pequeña Logia del Cardenal Bernardo Dovizi, detalle de los grutescos.

La Pequeña Logia del Cardenal Bernardo Dovizi, llamado el Bibbiena. Corredor rectangular de 3,12 x 15,74 m. Fue pintada al fresco por los mismos artistas que trabajaban durante esos años en la Segunda Logia. Giulio Romano y Perin del Vaga son los autores de los grutescos llenos de fantasía que adornan la bóveda y las paredes. Interestantes, igualmente, los restos del pavimento en baldosas de mayólica hispano-moriscas.

La *Conversión de Pablo* y la *Crucifixión de Pedro* son el último trabajo pictórico (1542-1550) de Miguel Ángel. Se encuentran en la Capilla Paulina, construida por Antonio da Sangallo el Joven en el marco de la reestructuración de la Sala Regia.

En la Conversión de Pablo, *el primero de los dos frescos que realizó, Miguel Ángel sigue de cerca la narración de los Hechos de los Apóstoles (9, 3-7): «Cuando estaba ya cerca de Damasco, de repente lo envolvió un resplandor del cielo, cayó a tierra y oyó una voz que decía: –Saúl, Saúl, ¿por qué me persigues?»*

La Crucifixión de Pedro *es una composición circular, en círculos concéntricos, cuyo centro es la cabeza del Apóstol. La decisión de Pedro de ser crucificado con la cabeza hacia abajo para manifestar su humildad frente a Jesús está reproducida fielmente por Miguel Ángel, que parece haber pintado su propio autorretrato en el rostro del Apóstol.*

La Sala Regia. Pablo III confió a Antonio da Sangallo el Joven la tarea de reestructurar y embellecer el ala más antigua del palacio medieval donde se realizaban las recepciones oficiales, los consistorios públicos y otras ceremonias de la corte pontificia. En esa misma ala está el aula de mayor prestigio: la Sala Regia, «anticámara» de la Capilla Sixtina. Los trabajos de reestructuración comenzaron en los primeros días de la primavera de 1538. Sangallo reemplazó el pesado techo de la sala (que mide 34 x 12 m.) por una bóveda semicircular de 33,60 m. de altura, decorada por Perin del Vaga con estucos octagonales. En la pared del fondo, el acceso a la Capilla Paulina; a la derecha, a la Escalera Regia; y en primer plano, la entrada a la Capilla Sixtina a la derecha, y, a la izquierda, a la Sala Ducal. La decoración pictórica, iniciada bajo el pontificado de Pío IV con episodios de la historia del Papado, fue terminada en 1573 por Giorgio Vasari, Taddeo Zuccari y sus alumnos, a petición de Gregorio XIII.

La Sala Ducal, destinada también a las ceremonias oficiales, es fruto de la transformación en una única aula de dos ambientes del núcleo originario del palacio medieval. Fue realizada por Bernini, bajo el pontificado de Alejandro VII, en la década de 1660. Bernini fue también el autor de la enorme cortina de estuco que levantan los amorcillos. La decoración pictórica se remonta en gran parte a la segunda mitad del siglo XVI. Aquí, en tiempos antiguos, el Jueves Santo, el Papa hacía el «lavatorio de los pies» a 12 pobres vestidos de apóstoles, y en la primera sala se celebraba el Consistorio público.

En 1563, Pío IV, con la prolongación hacia el occidente de las logias, perpendiculares y semejantes en todo a las de Bramante y Rafael, comenzó la transformación del antiguo «jardín secreto» de Nicolás V –reservado a la corte papal– en el Patio de San Dámaso. La construcción, iniciada por Pirro Ligorio, será terminada durante el pontificado de Gregorio XIII por Martino Longhi el Viejo (desde 1574) y luego por Ottaviano Nonni, llamado Mascherino (desde 1577). Durante el pontificado de Sixto V, Domenico Fontana organizó definitivamente en el Vaticano la residencia pontificia que, hasta entonces, ocupaba ambientes reducidos que daban al norte (palacio medieval y ampliaciones de Pío V, Julio III y Gregorio XIII). El Palacio Sixtino, de planta cuadrada (53 x 52,40 m.), se levanta en el Patio de San Dámaso frente al medieval-renacentista. Los tres órdenes de logias son una réplica de las ya existentes y fueron comenzados probablemente por Mascherino y Longhi. Fontana se hizo cargo de los trabajos el 30 de abril de 1589. El 27 de agosto de 1590, cuando murió el Papa Sixto, estaban casi terminados. Y en octubre de 1595, durante el pontificado de Clemente VIII Aldobrandini, Taddeo Landini coronaba la obra. Sin embargo, este último Pontífice se trasladó al Palacio del Quirinal donde sus sucesores permanecieron hasta 1870 cuando Pío IX, después de la caída del Estado Pontificio, llevó de nuevo las habitaciones del Santo Padre junto a San Pedro.

Bóveda de la Sala Bolonia, *denominada así porque un fresco reproduce el mapa de aquella ciudad. La sala corresponde a la tercera logia del ala construida bajo Gregorio XIII. La composición con las doce constelaciones del Zodíaco fue realizada en 1575 por Giovanni Antonio Vanosino.*

De sala en sala, se sigue hasta la Biblioteca del Apartamento Noble donde el Papa recibe a las altas autoridades de todo el mundo.

En la Sala del Consistorio el Papa reúne el Colegio Cardenalicio para discutir decisiones referentes a la vida de la Iglesia.

⇦

La Sala Clementina, llamada así por el Papa Clemente VIII y realizada en 1596 por Giovanni Fontana (hermano de Domenico) y Giacomo della Porta, es el grandioso vestíbulo del Apartamento Noble pontificio situado en el segundo piso del Palacio Sixtino. La decoración suntuosa (1600-1601), que se anticipa a los escenarios barrocos, es obra de los hermanos Giovanni y Cherubino Alberti.

LOS MUSEOS, LA BIBLIOTECA Y EL ARCHIVO

Un guía humilde y nobilísimo

En el Vaticano, la historia y lo sagrado van juntos. Toda visita se transforma en experiencia de cultura y de fe. Queda siempre, en el corazón del visitante, el pesar de no haber podido captar todo y el deseo de haber contemplado por más tiempo esas bellezas, pero también la satisfacción de haber conocido el marco de las actividades del Papa y de los acontecimientos que se desarrollan en esta ciudad.

Se experimenta un sentimiento de plenitud religiosa y goce artístico. En la elevación espiritual favorecida por la peregrinación a través de la gran área sacra vaticana, el arte se transforma en guía humilde y nobilísimo al mismo tiempo.

Hemos contemplado obras maestras únicas en el mundo, presentadas en el lugar y el modo más adecuado. Hemos visitado ciclos enteros de frescos que, en conjunto, constituyen el museo de frescos más grande del mundo, con características irrepetibles: la Capilla de Nicolás V, pintada por el Beato Angélico; el Apartamento Borgia, decorado por Pinturicchio y su escuela; las Estancias y las Logias con los espléndidos frescos de Rafael; y, en fin, la Capilla Sixtina, donde las obras de grandes artistas como Perugino, Botticelli, Ghirlandaio, Signorelli y Cosimo Rosselli sirven de marco a la obra del artista sumo: Miguel Ángel.

Alejémonos del lustre de los palacios apostólicos, deslumbrados por el resplandor del arte, reflejo de lo divino, así como lo haríamos con la luz del sol de mediodía. Antes de salir de estas habitaciones papales que permanecerán vinculadas por siempre al genio de Rafael, asomémonos a la pequeña logia del apartamento de Julio II della Rovere. Desde aquí, el tosco y resuelto Pontífice —años después, Sixto V Peretti seguiría su ejemplo como promotor de las artes— admiraba un jardín que bajaba hacia un pequeño valle y subía luego hacia el Palacete del Belvedere (Bella vista) que Inocencio VIII Cybo había mandado construir para descansar cuando iba de paseo. Un día Julio II tuvo una intuición fulminante y encargó al arquitecto Bramante su realización: transformar el declive entre el Palacio y el Belvedere en tres grandes terrazas descendientes, comunicadas por amplias escalinatas, y colocar a los lados dos corredores paralelos de unos 300 metros de largo que permitieran ir de una parte a otra en un mismo plano.

Los brazos del «Belvedere»

En esos dos largos brazos, y en los otros dos que cortan los patios originarios y las distintas construcciones que fueron surgiendo, están los Museos, la Biblioteca y el Archivo secreto, que dan al Vaticano títulos de nobleza universalmente conocidos en el campo del arte y de la ciencia. De la tumba del Apóstol, de la basílica y de la residencia de los Papas nace una inspiración que ha dado vida en este medio milenio a tesoros de arte inigualables y a importantes testimonios de interés por otros campos del saber.

La ciencia y el arte recibieron un distinto tratamiento, por parte de la Iglesia, en los siglos anteriores al Renacimiento. Como observaba Deoclecio Redig de Campos, director de los Museos de 1971 a 1978, «mientras a los códices de los amanuenses de los conventos se debe, en gran parte, lo que ha llegado hasta nosotros del patrimonio escrito (literario, científico, jurídico e histórico) de la Antigüedad pagana, nada se hizo por salvar de la ruina monumentos y obras de arte, en particular las esculturas de la Roma precristiana, a menudo copias únicas de famosos originales griegos perdidos». El motivo de esta actitud consistía en el temor a la influencia perjudicial que hubiera podido ejercer el arte clásico, con su contenido mitológico, en la fe y las costumbres de un pueblo ignorante y supersticioso; en cambio, los textos escritos quedaban a la disposición de una minoría culta.

Bajo el impulso del Humanismo, a partir del siglo XV, los Papas y los clérigos comenzaron también a admirar todo cuanto había de «naturaliter» cristiano en el arte pagano. Las estatuas de la antigüedad grecorromana se contemplaban como un ejemplo nunca superado de lo que puede la creatividad del hombre a imagen de aquella de Dios. El arte antiguo se consideraba como una prefiguración de la experiencia cristiana, una búsqueda de la perfección divina.

Los Pontífices del Renacimiento, además de la autoridad que tenían como Vicarios de Cristo, se sentían también, en cierta forma, herederos de la grandeza imperial de Roma. De la basílica y del palacio apostólico sale una corriente de inspiración que se extiende a lo largo de los brazos ideados por Julio II: el oriental, realizado por Bramante, y el occidental, obra de Pirro Ligorio medio siglo después.

El Papa Julio II della Rovere colocó en un jardín —entre el ala septentrional, el ala oriental del Belvedere y la exedra final del inmenso triple «teatro» que lo unía al palacio apostólico— su colección personal de estatuas y sarcófagos clásicos. La primera obra que se trasladó fue el Laocoonte, en 1506. En ese mismo patio fue colocado, cinco años después, el Apolo, denominado precisamente «del Belvedere», una estatua desenterrada en 1489 y adquirida por della Rovere cuando todavía era Cardenal. Se creía que fuese una obra griega y su belleza ideal influyó enormemente en la evolución estilística de la cultura en ese siglo y en los siguientes. Este famoso jardín se enriqueció, siempre durante el pontificado de Julio II, con otras estatuas célebres de mármol como la Venus Feliz, la Ariadna abandonada, las dos estatuas yacentes del Tíber y el Nilo, y el conocido Torso que fue el modelo preferido de Miguel Ángel para todos sus cuerpos musculosos.

Gozar del arte en plena naturaleza

Con el «Patio de las Estatuas», Julio II había puesto la semilla de los Museos Vaticanos, uno de los conjuntos más amplios e importantes del mundo donde se expone la mayor colección existente de antigüedades. Su tío Sixto IV lo había precedido en 1471, cuando había puesto en el Capitolio, a la disposición del pueblo romano, la rica colección de estatuas antiguas de bronce que se conservaban en el Palacio de Letrán. En el Vaticano, en cambio, el jardín de las estatuas estaba abierto sólo para los entendedores y el mismo Julio II destinó el adyacente palacete del Belvedere a hospedería para los jóvenes artistas que trabajaban en la corte papal, con el objeto de que se inspiraran en las obras maestras clásicas grecorromanas. Ese goce de las obras de arte en un ambiente natural era una costumbre tomada de la lectura de los clásicos que el Papa practicaba, haciendo experimentar a sus huéspedes una atmósfera de antigüedad. Del palacete del Belvedere se podía bajar a los jardines por la escalera de caracol situada en una torre empezada por Bramante y terminada por Pirro Ligorio.

El comienzo prometedor de los Museos tuvo un estancamiento durante la época rigorista de la Contrarreforma con Pío V Ghisleri (1566-72) cuya intención era dispersar toda la colección de las estatuas que estaban en el Vaticano porque le parecía inconveniente guardar semejantes «ídolos» en casa. En la segunda mitad del siglo XVIII se produjo un nuevo despertar, cuando surgieron dos ciencias complementarias: la arqueología y la historia del arte, impulsadas, respectivamente, por el alemán Johann Winckelmann, Comisario de Clemente XIII Rezzonico para las Antigüedades, y el abad Luigi Lanzi. La imponente construcción del Museo Pío-Clementino, que abarcaba también el jardín arcádico de las estatuas, marca un nuevo, gran principio de los Museos Vaticanos. En efecto, aún hoy día, constituye su núcleo histórico y esencial. Lleva el nombre de los dos Papas que fueron los mecenas: el fundador, Clemente XIV Ganganelli (1769-74); y el que lo terminó, su sucesor Pío VI Braschi (1775-99). Mientras en el siglo XVI prevalecía el goce estético individual, el nuevo coleccionismo procuraba oponerse a la exportación de las obras de arte para conservarlas en edificios públicos y así promover la cultura.

Antes del Pío-Clementino, fueron creados algunos museos menores, todos dependientes de la Biblioteca Vaticana: la Galería Lapidaria, con su colección de inscripciones funerarias antiguas, paganas y cristianas; el Museo Sacro, obra de Benedicto XIV Lambertini, para ayudar en el estudio de los primeros siglos de historia de la Iglesia y con colecciones de vidrios dorados, monedas, camafeos y sellos de plomo de los pontífices; la Colección de medallas del Vaticano, saqueada por los franceses bajo Napoleón; y el Museo Profano, con objetos no directamente vinculados a los orígenes del cristianismo.

Para evitar que se llevaran al extranjero las obras de arte, Clemente XIV Ganganelli, además de aplicar leyes muy severas, comenzó una campaña sistemática de adquisiciones, para las que había que buscar una colocación. Fue elegido el Palacete del Belvedere. El jardín adyacente, el de las estatuas, se transformó en el Patio Octógono. La ampliación del Museo Vaticano se adelantó aún más cuando Monseñor Gian Angelo Braschi, inspirador de Clemente XIV, ocupó el solio pontificio con el nombre de Pío VI. Este Papa veía en las artes un elemento de gran prestigio cultural para el Estado de la Iglesia frente a las demás monarquías europeas, y solucionó los problemas de espacio con la construcción de un nuevo museo, es decir, un grupo de edificios exclusivamente con ese objeto.

Museos a la vanguardia

La empresa —encomendada a Michelangelo Simonetti secundado por Giulio Camporese— comenzó, paradójicamente, con una decisión contraria a la conservación de las obras de arte: para prolongar la Galería de las Estatuas, fue destruída la capilla con los frescos de Mantegna del edificio de Inocencio VIII Cybo. Simonetti realizó, además, una escalera —su obra maestra— que comunica las colecciones de los Museos de la Biblioteca Vaticana con la Sala de planta en forma de Cruz Griega donde están los sarcófagos de Santa Helena y Santa Constanza, con la Sala Redonda (inspirada en el Panteón) donde se hallan las estatuas del Zeus de Otrícoli y del Genio de Augusto, y con la Sala de las Musas en cuyo centro está el Torso del Belvedere, desde donde se llega al Museo Clementino a través de la Sala de los Animales.

El nuevo museo, con entrada por el Atrio de las Cuatro Cancelas, permaneció abierto sólo durante unos pocos años, pues el inicuo Tratado de Tolentino (1797) impuesto por Bonaparte al Estado Pontificio, lo privó de sus obras más famosas, transportadas a París en 500 carros. El botín fue devuelto, si bien sólo en parte, gracias al Congreso de Viena (1815) y al trabajo infatigable del entonces inspector de Bellas Artes en Roma, el escultor Antonio Canova, nombrado en 1802, el cual tuvo que buscar dónde colocar las obras adquiridas para colmar algunos de los espacios que había dejado el saqueo de Napoleón y hallar un lugar adecuado para exponer los cuadros más famosos del Estado Pontificio que habían devuelto de Francia, por ejemplo, tres obras maestras de Rafael: la Transfiguración, la Coronación de la Virgen y la Virgen de Foligno. En el inmenso Patio del Belvedere, que ya estaba dividido en dos por el brazo de la Biblioteca de Sixto V Peretti, fue levantado en 1822 el llamado «Brazo Nuevo», en estilo neoclásico, que marcó el límite sur del Patio de la Piña y donde se conservan otras estatuas famosas como el Augusto de Prima Porta y el Nilo.

Comienza una época floreciente para los Museos Vaticanos con Gregorio XVI Cappellari (1831-1846), quien funda el Museo Etrusco en 1837 y el Museo Egipcio en 1839, ampliando los horizontes más allá de la antigüedad grecorromana. Ese mismo Papa crea en 1844 en el Palacio de Letrán un Museo Profano con estatuas, sarcófagos, relieves y

En la parte inferior del mapa titulado Latium et Sabina *—uno de los cuarenta frescos de la Galería de los Mapas, realizados según cartones de Ignazio Danti— detalle que representa un mapa de Roma. En primer plano, bien visible, aparece el Vaticano y su poderosa fortificación; en el fondo, el Castillo Sant'Angelo.*

mosaicos que no podían hallar espacio en el Pío-Clementino. Diez años después, Pío IX Mastai-Ferretti quiso crear un Museo Cristiano para conservar los hallazgos procedentes de las excavaciones que se realizaban entonces en las catacumbas y en las basílicas con cementerios. En 1926, Pío XI Ratti instituyó el Museo Misionero Etnológico para dar testimonio de la actividad de las misiones entre las culturas indígenas de todo el mundo.

Estas tres colecciones que estaban en el Palacio de Letrán fueron llevadas a los Museos Vaticanos entre 1963 y 1973 y

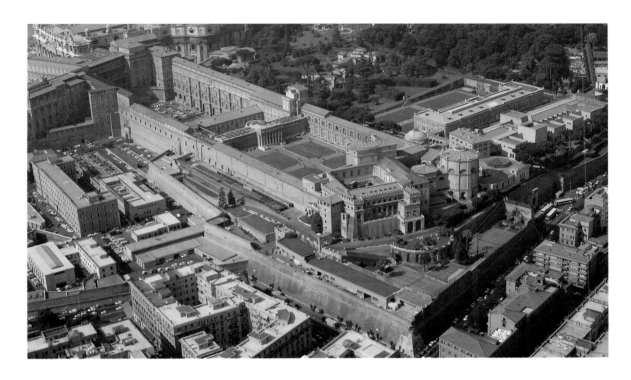

El Palacete del Belvedere. *En la
parte más alta del extremo norte
de las colinas vaticanas, donde
se extendían los jardines pro-
tegidos por una muralla de la
época de Nicolás III, el Papa
Inocencio VIII Cybo mandó construir (1484-87) a Jacopo da Pie-
trasanta, según un diseño de
Antonio del Pollaiolo, una curiosa logia almenada que fue
denominada el Belvedere. Allí
descansaba el Papa durante sus
paseos. Poco después se agregaron perpendicularmente hacia el sur algunas habitaciones.
A la izquierda, la torre de la
Escalera de Bramante y el Corredor de Bramante, construido
para comunicar el Palacio con
el Belvedere superando el des-
nivel.*

colocadas en un ala llamada «Paulina» porque fue realizada en tiempos de Pablo VI Montini (1963-1978). Las estructuras fijas, realizadas en un estilo modernísimo, y aquellas móviles de apoyo en hierro, destacan extraordinariamente las obras de arte antiguo. El Brazo Nuevo era muy adecuado para las estatuas; en el Ala Paulina es posible poner objetos nuevos o establecer distintas disposiciones.

Una primavera que se prolonga desde hace varios siglos

Los cuadros que se recuperaron, de los que Napoleón se había llevado a Francia, fueron puestos en el Apartamento Borgia y luego en varias salas, hasta que se les dio una colocación definitiva en 1932, en una Pinacoteca de estilo ecléctico edificada al occidente del Museo Pío-Clementino. Casi todas las obras allí reunidas tienen tema religioso; van desde Giotto hasta Melozzo da Forlì, Leonardo, Ticiano y Veronés. Las pinturas de Rafael y los tapices creados para la Sixtina ocupan la sala principal. En ese mismo año, 1932, fue inaugurada la entrada actual a los Museos por el Viale Vaticano. Se sube por una vertiginosa cordonata helicoidal proyectada por Giuseppe Momo. En el subterráneo del jardín cuadrado al que se asoma la Pinacoteca se arregló, por deseo de Pablo VI, el Pabellón de las Carrozas con las berlinas que usaron los Papas en el siglo XIX y los primeros automóviles que tuvieron Pío XI Ratti y Pío XII Pacelli.

Lo último que se ha agregado a los Museos ha sido la Colección de Arte Religioso Moderno, colocada en el Apartamento Borgia y en otros ambientes. Las 740 obras expuestas llevan las firmas de los artistas más conocidos de nuestra época: Matisse, Rouault, Chagall, Moore, Martini, Greco, Manzù, Ferrazzi, Carrà. Son todos regalos que hicieron a Pablo VI. Fue la respuesta al interrogante plan-teado por el Papa Montini: «El arte religioso ¿es fruto de otra época, ya superada, del espíritu humano? ¿o es y puede ser también del momento actual, en el que parece que la raíz religiosa haya perdido tanto de su fuerza mágica de ins-piración?».

En los 40 mil metros cuadrados y 7 kilómetros de recorrido de los 12 museos, más de tres millones de visitantes al año pueden verificar que «la historia del arte religioso es la historia de una primavera que se prolonga desde hace siglos y tiene puntos fijos que podemos admirar en las celebérrimas colecciones pontificias», como decía el obispo Giovanni Fallani. La magnificencia del arte servía a los Papas —especialmente durante la Edad Media y el Renacimiento— para enseñar cuán grande es la fe religiosa y transmitir, a través de imágenes apropiadas, lo que la psicología humana sueña y crea. Esos kilómetros de arte, en el Vaticano, dan fuerza al peregrino y lo alimentan gracias a una ósmosis natural entre vida espiritual y vida estética. En sus salas, el visitante creyente puede experimentar la catolicidad. En la basílica, vive la comunidad litúrgica con hermanos de la misma fe procedentes de todos los pueblos y culturas. En el Papa, ve la paternidad universal del pastor de toda la Iglesia. A través de las creaciones del arte, parte noble de la cultura, se percata de que nada de lo humano es ajeno al cristiano: pensamiento, ciencia, arte, acción política, trabajo.

En honor de la Iglesia militante y en provecho de los eruditos y literatos

La Biblioteca Apostólica Vaticana es otro fruto de esta catolicidad. Dejando a un lado las bibliotecas pontificias utilizadas por el Papa y la Curia hasta el siglo XIV, hablemos de aquella que fue abierta a los sabios y a los testimonios escritos de todas las disciplinas cultivadas por los humanistas, siguiendo el modelo de la Biblioteca de San Marcos en Florencia. La concibió un Papa humanista de quien ya hemos hablado: Nicolás V, Tommaso Parentucelli. Aunque no era rico, compraba o hacía copiar manuscritos de todo tipo, hasta que reunió una importante biblioteca privada que llevó consigo a Roma. Cuando murió, su «librería» poseía 800 códices en latín y 353 en griego, además de otros 56 que se hallaron en su habitación. Fue éste el germen de la futura Biblioteca Vaticana que él soñaba como «un aula grande y amplia, iluminada por ventanas en las paredes laterales y para uso de los estudiosos».

Con Sixto IV della Rovere, se cristalizó ese proyecto y el número de códices llegó a 2.527. La Biblioteca nació oficialmente el 15 de junio de 1475 y la dirección fue confiada a Platina; la audiencia de su investidura fue inmortalizada en una pintura de Melozzo. Fue instalada en el piso bajo del ala norte del patio del Papagayo, en cuatro locales que hasta ese momento se usaban como bodega y granero. Allí mismo, en 1967 y en 1969, fueron celebrados los dos primeros Sínodos de los obispos después del Vaticano II.

En 1587, la Biblioteca cambió de sede por voluntad de Sixto V Peretti, debido a la falta de espacio para las siempre más numerosas adquisiciones, a la humedad de los locales y al creciente número de obras impresas después de la invención de la imprenta en 1455, contrastada inútilmente por los humanistas de vieja mentalidad. El Papa encargó al arquitecto pontificio Domenico Fontana la construcción de una nueva biblioteca entre los dos largos corredores situados en el Patio del Belvedere, en lugar de la decorativa escalinata que llevaba al primero de los dos planos. Todas las salas fueron cubiertas de frescos. El salón de Sixto V con sus inmensas bóvedas, y las paredes y pilares pintados al fresco, sigue siendo una de las visiones más impresionantes para quienes visitan los Museos. Los artistas manieristas más conocidos de fines del siglo XVI representaron las bibliotecas más famosas de la antigüedad y los Concilios ecuménicos y, en los pilares, a los inventores de los distintos alfabetos y de las diversas técnicas de escritura, precedidos por Adán y por Cristo Camino, Verdad y Vida; en los lunetos celebraron las construcciones realizadas por Sixto V.

El problema inevitable del espacio hará que la Biblioteca vaya modificándose en su interior y ampliándose en los distintos edificios vaticanos, sin modificar su fisonomía desde un punto de vista arquitectónico. Los cambios autorizados por León XIII Pecci (1878-1903) para favorecer una mejor conservación de los manuscritos y obras impresas fueron tan grandes, que se pudo hablar de una tercera Biblioteca Vaticana. Entre sus prefectos recordamos a Achille Ratti que en 1922 fue elegido Papa con el nombre de Pío XI. La Biblioteca se considera una de las más modernas, más liberales y mejor dotadas del mundo. Posee más de 75.000 códices manuscritos y alrededor de 8.200 incunables, es decir, los primeros libros impresos. En total, cuenta con 800.000 libros impresos. Y permanece fiel a la alta misión que le fue confiada por Sixto IV della Rovere quien, en la bula de 1475, declaró que quería fundar una librería pública «en honor de la Iglesia militante, para la difusión de la fe católica y en provecho de los eruditos y literatos».

Un bunker antiatómico para el Archivo

Por el patio del Belvedere se entra también al Archivo Secreto Vaticano, reconocido como el más célebre e importante del mundo por la variedad y abundancia de los documentos que fueron llegando poco a poco, a partir de 1612, cuando fue creado para ser el archivo central de la Iglesia. Gran parte de su contenido se remonta a muchos siglos antes de la fundación, por ejemplo, las dos colecciones de cartas del siglo V y VI de los Papas San León Magno y San Gregorio Magno y el diploma del Emperador Odón II (962) en letras de oro sobre pergamino rojo. Desde el pontificado de Inocencio III (1198-1216), se conservaron los Registros Vaticanos que contienen principalmente bulas pontificias. Estos 2.047 volúmenes se consideran como una de las principales fuentes para la historia de Europa.

No menos importantes son los «Registros Aviñonenses», referentes a la estadía de los Pontífices en dicha ciudad. Entre la documentación, se destaca la más rica colección existente de sellos de oro: en el Archivo Secreto se conservan 68 documentos con sello de oro, desde el de Federico Barbarroja (1164) hasta el del Emperador Carlos VI de Habsburgo (1723). Entre los documentos más preciosos está la petición de los grandes de Inglaterra a Clemente VII Medici para obtener la anulación del primer matrimonio de Enrique VIII (1530), así como una carta de amor del mismo rey a Ana Bolena y el acuerdo para la abdicación de la reina Cristina de Suecia, autenticado con 306 sellos.

El Archivo se llama «secreto» porque en otros tiempos ese término significaba «privado». Efectivamente, sirve «ante todo y principalmente al Romano Pontífice y a la Santa Sede». Todo el material estuvo a la disposición de los estudiosos hasta el fin del pontificado de Benedicto XV della Chiesa, es decir, hasta 1922. Según palabras de Juan Pablo II, el Archivo Vaticano puede considerarse «como un libro extraordinario que guarda o revela en sus páginas —oscuras o luminosas, exaltantes o dramáticas— la memoria de una larga y secular vivencia humana de la que la Iglesia y nuestra civilización son herederas y continuadoras».

Debido al grave problema del espacio, la Santa Sede ha tenido que realizar una grandiosa ampliación del archivo en el subterráneo del Patio de la Piña. Inaugurado por Juan Pablo II en 1980, es un verdadero bunker antiatómico de dos pisos, en cemento armado, con una capacidad de 31.000 metros cúbicos y 43 kilómetros de estantería.

La astronomía vaticana antes de Galileo

«Religioni ac bonis artibus», «Para la religión y las buenas artes», estaba escrito en el prospecto del Colegio Romano, la máxima institución escolar fundada por Gregorio XIII Boncompagni. Entre esas «buenas artes» no están sólo las artes figurativas, las bibliotecas y los archivos. En el Vaticano se ha llevado a cabo una actividad científica en el sentido más moderno y técnico del término. Casi medio siglo antes del caso Galileo, precisamente a la sombra de la residencia pontificia, la ciencia registró importantes éxitos. Lo demuestra la reforma del calendario «juliano» que tomó el nombre de «gregoriano» por el mismo Papa Gregorio, decretada el 24 de febrero de 1582. Con tal objeto, el Papa había mandado edificar una torre, la «Torre de los Vientos», en el corredor occidental del Belvedere. El reloj solar colocado allí sirvió a Ignazio Danti para demostrar que el equinoccio de marzo ya no caía el 21 de marzo sino el 11. Comprobado lo anterior, se procedió a hacer coincidir el equinoccio con su fecha tradicional, según un cálculo que habían presentado anteriormente dos hermanos científicos: Luigi y Antonio Lilio.

Alrededor de 300 años después, en 1891, León XIII Pecci fundó el Observatorio Vaticano (la «Specola») y lo instaló en la Torre de los Vientos donde permaneció hasta 1906, cuando fue transportado a la Torre de los Jardines (ocupada hoy por la dirección de la Radio Vaticana); luego fue trasladado a Castel Gandolfo en 1932, debido a la excesiva iluminación nocturna de Roma. Contemplando el cielo desde el Vaticano, los astrónomos jesuitas, bajo la dirección del padre Johannes G. Hagen, redactaron un catálogo en diez volúmenes que daba la posición de medio millón de estrellas. Hoy día, sus colegas estudian el cielo desde un nuevo observatorio situado en los montes de Arizona en los Estados Unidos. La ciudadela vaticana ha seguido, también en este siglo, la costumbre de dar acogida a la ciencia y sus protagonistas, recibiendo con gran amplitud mental a académicos de todas las creencias e ideologías.

El último tramo del Corredor del Belvedere *de Bramante, es el único que ha conservado la forma original; da al Patio de la Piña, la más alta de las tres plateas del «teatro» de Bramante. En el corredor se halla el Museo Chiaramonti.*

La Piña *colosal de bronce dorado, una fuente romana del siglo I-II d.C., se levantaba en el centro del atrio descubierto del antiguo San Pedro, probablemente desde fines del siglo VIII. Antes se hallaba en el Campo Marzio, en la arena del barrio romano que aún lleva el nombre de "Pigna". En 1608, durante la construcción de la actual basílica, fue transportada a ese patio que tomó su nombre. A los lados, copias de los pavos reales de bronce romanos de la época de Adriano que se conservan ahora en el Brazo Nuevo. El capitel que sostiene la Piña representa figuras de jueces de competencias y de atletas romanos (222-235 d.C.).*

⇨

La Hornacina de la Piña. *En 1551, Miguel Ángel reemplazó por las actuales rampas de escaleras la que había construido Bramante, semidestruida por la enorme hornacina. A los lados de las fuentes, dos leones egipcios (XXX dinasía, siglo IV a.C.). Las estatuas del hemiciclo, detrás de la Piña, también son egipcias.*

El Palacete del Belvedere en 1535. Obra de Maarten van Heemskerck (el dibujo original se conserva en el Kupferstich-kabinett de Berlín).

El Palacete de Inocencio VIII fue destinado por Julio II para alojar a los artistas. El Antiquarium del jardín adyacente se transformó muy pronto en escuela donde se podía apreciar el valor de los artistas antiguos y contemporáneos. De Federico Zuccari, retrato de su hermano Taddeo Zuccari mientras copia algunas esculturas del Belvedere. Al fondo, el Corredor de Bramante y el Palacio Pontificio (Florencia, Gabinete de Dibujos y Grabados de los Uffizi).

El Antiquarium de Julio II. (abajo) En el espacio comprendido entre la exedra del triple «teatro» del Belvedere y el Palacete de Inocencio VIII, Julio II colocó las estatuas antiguas de su colección privada que dio origen a los Museos Vaticanos y fue enriquecida por sus sucesores, hasta cuando Pío V, considerando que las estatuas paganas no eran adecuadas para la residencia del Papa, resolvió cerrar el acceso al pequeño jardín y a las estatuas. El Antiquarium de Julio II, como lo vio Hendrik van Kleef. Pintura (1559) conservada en los Musées Royaux d'Art et d'Histoire de Bruselas.

El 5 de marzo de 1565, el Papa Pío IV, con ocasión de la boda de sus sobrinos Annibale Altemps y Ortensia Borromeo, organizó en el Patio del Belvedere recién terminado un lujoso torneo del que da testimonio un autor anónimo de la segunda mitad del siglo XVI (Museo de Roma).

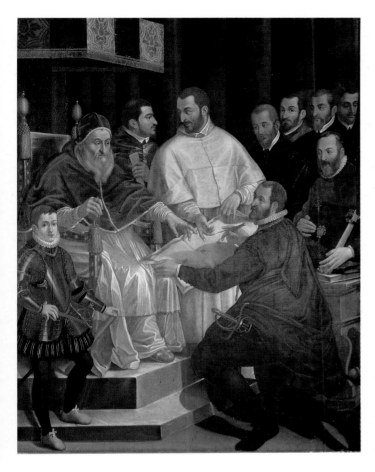

En un poco más de un año (mayo de 1587 - septiembre de 1588), Domenico Fontana proporcionó una nueva sede a la Biblioteca Vaticana construyendo, por orden de Sixto V, un brazo transversal al Patio del Belvedere en la primera platea de Bramante. Bajo la dirección de Cesare Nebbia y Giovanni Guerra, varios artistas realizaron rápidamente (1588-90) el programa iconográfico de Federino Ranaldi, Prefecto de la Biblioteca, y Silvio Antoniano, Secretario del Sacro Colegio Cardenalicio.

En el Salón Sixtino, *sala de lectura originaria de la biblioteca, la abundante decoración pictórica recuerda los Concilios Ecuménicos, las bibliotecas antiguas, los inventores de la escritura y algunos episodios del pontificado de Sixto V, representado aquí con Fontana que le entrega el proyecto del nuevo edificio.*

Entre los inventores de las letras del alfabeto figura la diosa egipcia Isis.

El Emperador Augusto (a la izquierda), creador de la Biblioteca Palatina, rodeado de algunos literatos.

Vista del Salón Sixtino *de la Biblioteca de Sixto V. Una sala de dos naves, con el techo sostenido al centro por siete pilares. Domenico Fontana construyó este brazo de la Biblioteca en los años 1587-89, por orden de Sixto V.*

Fresco que representa el Concilio II de Constantinopla (553).

El Archivo Secreto, *institucio-*
nalizado el 31 de enero de 1612 y
organizado en la nueva ala de la
Biblioteca, se remonta a tiem-
pos muy lejanos. En él se guar-
dan documentos relativos al go-
bierno de la Iglesia universal.
Las salas destinadas al Archivo
desde su fundación, donde aún
se conservan los muebles ori-
ginales, están decoradas con
episodios de la historia diplo-
mática de la Iglesia.

Desde 1880, el Archivo Secreto, abierto a los estudiosos y dotado de
una sala de lectura, ha sido transformado en un instituto de estudios
históricos.

Pablo V Borghese, obra de Bernini (Galería Borghese, Roma). Este
Papa fundó en 1612 el Archivo central de la Iglesia, llamado «secreto»,
como se denominaban en un tiempo los archivos de los soberanos,
considerados privados aunque conservaran documentos del Estado.

El Papa Gregorio XIII comisionó la edificación (1578-80) de la Torre de los Vientos *(arriba, a la izquierda, en un fresco contemporáneo a su construcción)* a Ottaviano Mascherino. Ignazio Danti la utilizó como reloj de sol para demostrar la necesidad de reformar el Calendario Juliano. Éste, con la reforma decretada el 24 de febrero de 1582, se llamó, desde entonces, «Gregoriano».

⇦

Bóveda de la Sala de la «Meridiana» *(reloj de sol)* con el anemoscopio construido por Ignazio Danti. Los numerosos amorcillos, jóvenes y ancianos que rodean la rosa de los vientos, simbolizan los vientos. El fresco fue realizado en 1581 por Matteo Bril.

Ignazio Danti explica a Gregorio XIII la necesidad de reformar el calendario *(1582, Siena, Archivo del Estado).*

A Sixto IV della Rovere se le debe la fundación de la Biblioteca Apostólica Vaticana, decretada mediante una Bula del 15 de junio de 1475 e instalada en la planta baja del ala septentrional del palacio. Sus orígenes se remontan a la colección de Nicolás V que incluía 834 códices latinos, un número extraordinario para esa época. El fresco de un anónimo del siglo XV (abajo), que se halla en el Salón Sixtino del Hospital del Santo Spirito en Roma, representa a Sixto IV de visita en la biblioteca. Frente al Papa, el Cardenal Giuliano della Rovere, futuro Julio II. Aparece detrás de Sixto IV Bartolomeo Platina, primer bibliotecario. La biblioteca del Papa constaba entonces de 2.527 manuscritos griegos y latinos.

La Galería de los Mapas (arriba), comunicada con la Torre de los Vientos y obra del mismo arquitecto, está decorada con 40 mapas pintados al fresco según cartones del astrónomo Ignazio Danti. La decoración de la bóveda (1583), con estucos y frescos, es un ejemplo típico del gusto manierista y fue realizada por un grupo de artistas dirigidos por Cesare Nebbia y Girolamo Muziano.

Detalle de uno de los mapas que representa la Italia antigua, de un cartón de Ignazio Danti.

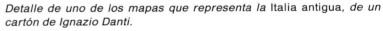

TEMPLA DOMVM EXPOSITIS·VICOS·FORA·MOENIA·PONTES·
VIRGINEAM TRIVII QVOD REPARARIS AQVAM·
PRISCA LICET NAVTIS STATVAS DARE COMMODA PORTVS·
ET VATICANVM CINGERE SIXTE IVGVM·
PLVS TAMEN VRBS DEBET:NAM QVAE SQVALORE LATEBAT·
CERNITVR IN CELEBRI BIBLIOTHECA LOCO·

Melozzo da Forlì. Sixto IV nombra a Bartolomeo Platina primer Prefecto de la Biblioteca Vaticana *(1477)*. *El fresco, situado originariamente en la pared norte de la Biblioteca Latina, fue arrancado en 1825, trasladado a tela y se halla expuesto en la Pinacoteca desde 1833. En la composición aparecen Sixto IV en el trono y Platina arrodillado a sus pies; junto al Papa se reconocen los Cardenales sobrinos Pietro Riario y Giuliano della Rovere (que luego será Papa con el nombre de Julio II). Nótese la sobria armonía entre el clasicismo de la amplia perspectiva arquitectónica y la expresión de los rostros, bien caracterizados, de los personajes.*

El actual Patio del Belvedere *con el brazo transversal de la Biblioteca Sixtina. A la izquierda, los corredores sobrepuestos de Pirro Ligorio y al fondo, bien visibles, la Torre de los Vientos y la Hornacina de la Piña.*

Este fresco de Perin del Vaga que se halla en el Castillo Sant'Angelo fue realizado en 1537-41 y representa el nivel inferior de los tres niveles del Patio del Belvedere, donde se realizaban los espectáculos. La pintura, que corresponde sólo a grandes rasgos a los dos niveles inferiores, es exacta, en cambio, por lo que se refiere al nivel superior que reproduce la exedra de Bramante detrás de la cual se entrevé el Palacete del Belvedere de Inocencio VIII.

Benedicto XIV Lambertini, *quien fundó en 1756 el* Museo Sacro de la Biblioteca *donde se conservan testimonios arqueológicos de los primeros cristianos. Retrato realizado por Giuseppe Maria Crespi. Pinacoteca Vaticana.*

Clemente XI Albani, *el primero que tuvo la idea, en 1703, de crear un museo en el Vaticano (el Museo Eclesiástico) cuyo contenido pronto se dispersó. Retrato de autor desconocido. Museo Nacional de Arte de Estocolmo.* ⇨

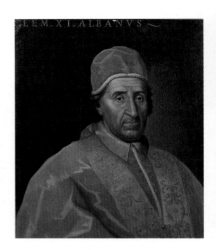

La Galería Clementina *(1732), llamada así en honor de Clemente XII, fue construida cerrando las arcadas del pórtico con el que terminaba al norte el corredor occidental del Belvedere. En primer plano, la pequeña sala del Museo Profano.*

Clemente XIII Rezzonico, *fundador, en 1767, del* Museo Profano, *situado en el extremo norte de la Galería Clementina y donde se conservan objetos no eclesiásticos de las colecciones de antigüedades vaticanas, incluso la colección de numismática (retrato de autor anónimo del siglo XVIII. Pinacoteca Vaticana).*

El *Museo Sacro* ocupa tres salas en el extremo sur del Corredor de Poniente. En él se conservan los testimonios antiguos de la cristiandad.

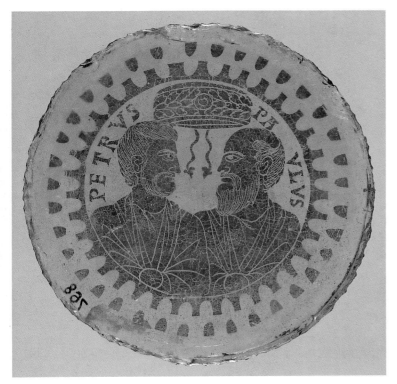

San Pedro y San Pablo, *tallados en lámina de oro en el fondo de una taza. Estos vidrios fueron descubiertos en las paredes de las catacumbas.*

Ampolla de vidrio. *Estas ampollas se utilizaban originariamente para guardar ungüentos o perfumes. Con frecuencia se transformaban en relicarios.*

La curación del ciego de nacimiento, *metáfora de la conversión a la luz de la fe. Detalle de una píxide (cajita redonda para guardar las hostias) de los primeros tiempos del cristianismo.*

Tela de seda procedente del Oriente cristiano (probablemente de Siria), del siglo VIII-IX, que representa la Anunciación.

Lámpara *en forma de grifo (III-IV siglo d.C.) con el monograma de Cristo. El grifo simbolizaría a Cristo y la paloma al Espíritu Santo.*

Perseo. *Obra de Canova. Fue adquirido por Pío VII en 1802 para suplir la pérdida del Apolo que se había llevado Napoleón en 1797 a París.*

Clemente XIV Ganganelli, fundador del Museo que lleva su nombre. Busto en mármol de anónimo del siglo XVIII. Museo Pío-Clementino.

El Patio Octógono *fue construido (1772-73) por Simonetti durante el papado de Clemente XIV en el jardín donde Julio II había colocado el «Antiquarium» de las estatuas. El patio recuerda la forma del antiguo jardín del siglo XVI, pero no el espacio abierto de un tiempo y su marco natural, evocado, sin embargo, por las plantas de azaleas y la fuente con vegetación acuática.*

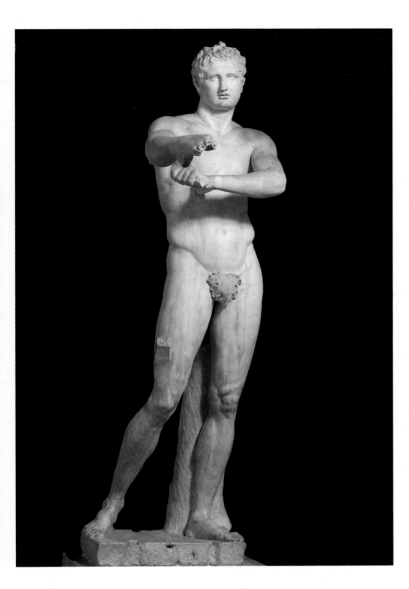

Apoxyomenos. *Un atleta griego cansado que limpia el sudor de sus brazos. Hallado en el Trastevere en 1849, es una copia romana en mármol, del siglo I d.C., de una estatua en bronce de Lisipo que se remonta al año 320 a.C. aproximadamente.*

El río Tigris *(abajo). Colocada hace poco tiempo en el Patio Octógono, esta copia de la época de Adriano, de un modelo helenístico, se hallaba en el Belvedere por voluntad de Pablo III. Sin cabeza cuando fue descubierta, las partes que le faltaban, incluso el brazo derecho y la mano izquierda, fueron realizadas por los discípulos de Miguel Ángel.*

El Apolo del Belvedere *(página siguiente). Esta estatua famosísima se encontraba con seguridad en el Belvedere en 1509. Es la pieza más valiosa del «Antiquarium» de las estatuas de Julio II. Servirá de canon estético durante siglos hasta cuando el descubrimiento de los relieves del Partenón mostrará que se trata de una copia romana, del siglo II, de un modelo en bronce realizado por un artista ático del siglo IV a.C.*

Laocoonte *(página siguiente). El grupo con el sacerdote troyano condenado por Atenea al horrible suplicio porque quería oponerse a la entrada del caballo en la ciudad de Troya, fue descubierto el 14 de enero de 1506 en el área del palacio del Emperador Tito (79-81 d.C.), donde lo había visto Plinio el Viejo, escritor latino del siglo I que dejó memoria de ello. Giuliano da Sangallo y Miguel Ángel, que acudieron al lugar de la excavación, aconsejaron a Julio II su adquisición. Cuando la escultura fue trasladada al Vaticano, las campanas de Roma tocaron a rebato y el acontecimiento se celebró con una fiesta pública. Desde entonces, la estatua se considera obra original de artistas de Rodas, realizada a principios de la era cristiana. Ya en la época romana, fue admirada por su extraordinaria fuerza expresiva y, desde su hallazgo, suscitó en los artistas el deseo de crear algo semejante. Incluso Miguel Ángel se inspiró en ella. Los Romanos consideraban a Laocoonte como un antepasado, pues su desdichado vaticinio había obligado a Eneas, progenitor de Rómulo, a huir de Troya. Según opiniones recientes, serias y autorizadas, parece que la estatua fue copiada de un original griego en bronce realizado en Pérgamo en la segunda mitad del siglo II a.C.*

La Venus Felix. *Con el Laocoonte y el Apolo, ocupaba ya en 1509 un lugar destacado en el jardín del Belvedere. Escultura romana. Es una interpretación de una Venus de Praxiteles (mediados del siglo IV a.C.) con el rostro de una emperatriz del siglo II: Faustina, esposa de Marco Aurelio, o su nuera Crispina, esposa de Cómodo.*

Hermes. *Fue hallada en las cercanías del Castillo Sant'Angelo. Pablo III Farnese la colocó en 1543 en el Jardín de las Estatuas. Muy apreciada, sirvió durante siglos como ejemplo de las proporciones del cuerpo humano. Es copia, de la época de Adriano, de un original griego en bronce del siglo IV a.C.*

Pío VI Braschi *visita el Museo Clementino. En esta pintura al temple de Stefano Piale (1783) que se conserva en los Museos Vaticanos, aparecen de rodillas, a la izquierda, Giambattista Visconti, Comisario para las Antigüedades y primer Presidente del Museo, el arquitecto Simonetti y el escultor Gaspare Sibilla, uno de los restauradores de las estatuas antiguas del Museo (detalle, abajo). El cuadro recuerda el 12 de mayo de 1776, cuando Pío VI decidió mandar construir nuevas salas para el Museo. El Museo Pío-Clementino, abierto probablemente en 1784, estaba prácticamente terminado en 1786. Después de la muerte de Simonetti (1787), fue organizado definitivamente en 1792. En ese mismo año, Pasquale Massi, «guardián» del Pío-Clementino, compiló una guía resumida del Museo.*

Johann Joachim Winckelmann. *Retrato realizado por Anton Raphael Mengs. Se conserva en el Metropolitan Museum of Art. El célebre arqueólogo alemán, que llegó a Roma en 1755 y fue uno de los primeros animadores de los futuros Museos Vaticanos, fue nombrado por Clemente XIII Comisario para las Antigüedades en 1763.*

⇨

Antonio Canova. *Retrato realizado por su amigo Antonio d'Este en 1832, según un modelo en yeso del mismo Canova; se halla en el despacho del Director de los Museos Vaticanos. Canova, nombrado Inspector General de Bellas Artes en 1802 por Pío VII, fue el principal organizador, junto con el abad Carlo Fea, del patrimonio artístico romano, después de la expoliación realizada por Napoleón.*

La Galería de las Estatuas (1772), que ocupa la logia del Palacete del Belvedere, es la sala más espléndida del antiguo Museo Clementino, realizada en estilo barroco tardío por Alessandro Dori.

En un extremo de la Galería de las Estatuas, organizada a fines del siglo XVIII, se encuentra la Sala de los Bustos (abajo, a la izquierda), con retratos de Julio César y de otros emperadores romanos, entre ellos: Augusto, Marco Aurelio, Lucio Vero y Antonino Pío. En el otro extremo de la Galería de las Estatuas, ampliada en 1776-78 por Michelangelo Simonetti, fue colocada la Ariadna (abajo, a la derecha) que estaba en el Belvedere desde el año 1512. Se trata de una copia romana, del siglo II d.C., de un original de Pérgamo del siglo II a.C.

La Sala de los Animales. *En una hornacina, al fondo, escultura que representa a Meleagro (detalle, abajo), adquirida por Clemente XIV y considerada desde mediados del siglo XVI como una de las esculturas más bellas de Roma. Es una copia romana, probablemente del siglo I d.C., de un original griego del siglo IV a.C. atribuido a Skopas.*

⇦

Cuando fue proclamada la República Romana y Roma fue ocupada por las tropas francesas el 17 de febrero de 1798, Pío VI tuvo que exiliarse. Murió en Valence, Francia, el 29 de agosto de 1799 (fresco de 1818, probablemente obra de Domenico del Frate. Galería Clementina de la Biblioteca Vaticana).

En el Gabinete de las Máscaras, denominado así por el mosaico romano del pavimento con máscaras de teatro, las estatuas tienen la aparente función de decorar el ambiente. La obra principal es la Venus de Cnido, copia romana de un modelo de Praxiteles. Domenico De Angelis decoró la bóveda (1791-92) con temas mitológicos pintados al óleo.

El Torso del Belvedere. *Lo llevó allí Clemente VII y fue el modelo preferido por Miguel Ángel para sus cuerpos musculosos. Tradicionalmente se creía que fuera una estatua de Hércules, pero no se sabe a ciencia cierta a quién representa. La estatua de mármol lleva la firma de Apolonio, artista ateniense del siglo I a.C., probable autor también del original del Júpiter Verospi.*

La Sala de las Musas está dedicada a las esculturas de mármol de inspiración griega que representan a Apolo y las Musas, halladas en 1775 durante una excavación en una villa romana de la época del Emperador Adriano, no lejos de Tívoli. Tommaso Conca decoró la sala (1782-87) con frescos relativos a historias de Apolo y a las Musas.

Talía, la musa de la Comedia (a la izquierda). La máscara cómica, el cayado y el timbal que lleva en la mano fueron agregados en el siglo XVIII.

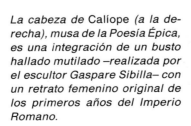

La cabeza de Calíope (a la derecha), musa de la Poesía Épica, es una integración de un busto hallado mutilado –realizada por el escultor Gaspare Sibilla– con un retrato femenino original de los primeros años del Imperio Romano.

La Sala Redonda. *Es la obra maestra de Simonetti, quien, para exponer las estatuas antiguas, realizó un ambiente inspirado en el Panteón.*

⇨

La Escalera Simonetti. *Terminada en 1788-89, después de la muerte del arquitecto, fue construida para acceder al Museo Pío-Clementino. El frente corresponde a la pared de entrada a la Sala con planta en forma de Cruz Griega y parece un grandioso escenario de teatro. A través de las aperturas laterales se ven las rampas de las escaleras que llevan a la Galería de los Candelabros y al Museo Etrusco. La rampa de la escalera corresponde a la bóveda semicircular artesonada en declive. Dos esfinges que se remontan a la Edad Imperial flanquean la entrada.*

Sarcófago de Constanza. *Realizado en Egipto hacia el año 340 y destinado a la hija de Constantino. El monumental sarcófago de pórfido (2,25 m. de altura) está adornado con escenas de la vendimia, símbolo cristiano de la vida.*

El *Museo Gregoriano Etrusco* fue fundado por Gregorio XVI el 2 de febrero de 1837. Está instalado en el piso superior del edificio de la Hornacina de la Piña y en él se conservan objetos hallados en las excavaciones organizadas por particulares durante el siglo pasado en las necrópolis de la Etruria meridional con licencia del Estado Pontificio. Éste, gracias a una legislación de control, se reservaba el derecho de prelación sobre todo el material que se descubría. En 1935, Benedetto Guglielmi regaló al Museo su propia colección de antigüedades procedentes de Vulci y, en 1968, Mario Astarita donó la colección de cerámicas y vidrios antiguos a Pablo VI.

En la Sala Regolini Galassi *se han colocado objetos (siglo VII a.C.) de la tumba llamada así por los nombres de los dos arqueólogos que la descubrieron (1836) al sur de Cervéteri. La actual organización se debe a Francesco Buranelli.*

En el Hemiciclo inferior del Museo Etrusco se ha colocado una parte de la colección de vasos griegos hallados en las tumbas de la Etruria meridional. Especialmente importante es el ánfora con figuras negras (a la izquierda), firmada por el alfarero Exequías (arte ático del 530 a.C.), que representa en uno de los lados a Aquiles y Ajax que juegan a morra.

El « Marte » de Todi, *descubierto en 1835, es un bronce monumental de fines del siglo V a.C.*

Fíbula de oro. *Período "de influencia oriental" de la producción etrusca,* siglo VII a.C.

Copa *de búcaro de fines del siglo VII a.C.*

Sala de las terracotas. *El amplio ambiente es adecuado para crear un espacio semejante en muchos aspectos a las antiguas áreas sacras, donde un muro perimetral (temenos) encerraba el alto podio en el cual se levantaban el templo y su plaza, más o menos grande, llena de ofrendas votivas y de altares para las celebraciones religiosas.*

El *Museo Gregoriano Egipcio*, inaugurado el 2 de febrero de 1839. Está en el primer piso del edificio de la Hornacina de la Piña. En la tercera sala se ha reconstruido parte de la decoración del *Serapeo* (abajo) del Cánopo de la Villa Adriana en Tívoli.

Fragmento de pared de piedra arenaria con cabeza masculina (VI dinastía, 2250 a.C. aprox.).

Modelo en madera de una embarcación típica del Nilo (XI-XII dinastía, 2040-1780 a.C.).

Cipo *conmemorativo de piedra arenaria. Representa a la reina* Hatscepsut *que, en compañía de Tutmosis III, lleva sus ofrendas al dios Amón (XVIII dinastía, 1400 a.C. aproximadamente).*

Estatua colosal en granito. Representa a Tuia, madre de Ramsés II (XIX dinastía, 1250 a.C. aprox.).

Sarcófago pintado para momia (XXII dinastía, 930-800 a.C.).

En 1838, durante el pontificado de Gregorio XVI Cappellari, la colección de tapices fue colocada en la actual *Galería de los Tapices*. La parte principal de la colección está constituida por diez tapices realizados en la época de León X por Pieter Van der Aelst, en Bruselas, según cartones de Rafael y sus alumnos, con las historias de San Pedro y San Pablo, hoy en el Victoria and Albert Museum (la llamada Escuela Vieja); y por otros once tapices con historias del Evangelio (Escuela Nueva), realizados en el mismo taller flamenco durante el pontificado de Clemente VII. Estaban destinados a cubrir la franja baja de la pared de la Capilla Sixtina. Los primeros fueron expuestos por primera vez el 26 de diciembre de 1519 y los segundos en 1531. En 1799 fueron rematados por los franceses, y en 1808 los compró el Cardenal Secretario de Estado Ercole Consalvi en el mercado de antigüedades de Liorna (Livorno).

Escuela Vieja de Rafael. La Pesca Milagrosa.

Escuela Nueva de Rafael. La Resurrección.

Galería de los Candelabros. Es obra (1785-88) de Simonetti y de su ayudante Giuseppe Camporese, quien, después de su muerte, lo reemplazó en la dirección de las obras. La Galería fue realizada cerrando una logia construida durante el Pontificado de Clemente XIII. Contiene antigüedades de menores proporciones que aquellas colocadas en las salas que la preceden.

En un recuadro de la bóveda de la Galería de los Candelabros, Domenico Torti pintó a León XIII recibiendo de la Misión polaca (14 de septiembre de 1883) el cuadro de Jan Matejko que representa a Juan III Sobieski que libera a Viena del asedio de los turcos (1683). La enorme tela se conserva en la Sala Sobieski de la Torre Borgia.

La Sala de la Biga (a la derecha). Fue terminada en 1792-93. Es el piso superior del Atrio de las Cuatro Cancelas, correspondiente a la Galería de los Candelabros. Al centro, el grupo de mármol del que la sala toma el nombre, es una composición del escultor Francesco Antonio Franzoni (autor de los caballos y las ruedas), ejemplo típico de "restauración de lo antiguo" según el gusto de la época. La biga es una escultura romana del siglo I d.C.

Con la caída de la República Romana, Pío VII Chiaramonti regresa a Roma el 3 de julio de 1800. En el marco de la reconstrucción del Estado Pontificio, el Papa reconstituyó el patrimonio artístico gravemente empobrecido por la expoliación realizada por Napoleón (Tratado de paz de Tolentino del 19 de febrero de 1797). Un fresco de Domenico del Frate (a la izquierda), realizado en 1818, que se encuentra en la Galería Clementina, representa a Pío VII conversando con el abad Carlo Fea, Comisario para las Antigüedades, cerca de las excavaciones de Ostia Antigua.

⇨

El Museo Chiaramonti (en la página siguiente, arriba) fue organizado (1805-7) por Canova en el brazo del Corredor del Belvedere realizado por Bramante con las adquisiciones arqueológicas posteriores a la invasión francesa.

⇨

La Galería Lapidaria (en la página siguiente, abajo), situada en el Corredor del Belvedere realizado por Bramante. En ella se hallan, aplicados a la pared, frente a frente, epitafios paganos y cristianos organizados por Gaetano Marini bajo el pontificado de Pío VII.

En un luneto del Museo Chiaramonti, Francesco Hayez, por encargo de Canova, pintó el regreso a Roma de las obras de arte que el Directorio de la República Francesa había tomado al Estado Pontificio con el Tratado de Tolentino. En primer plano, Sir William Hamilton, subsecretario de Asuntos Exteriores inglés, quien se preocupó por recuperar las obras, y la estatua del río Tíber que se había quedado en París como don de Pío VII a la monarquía francesa restaurada. En el fondo se ve el Monte Mario, situado no lejos del Vaticano.

CLARIORA · ARTIFICVM · EXCELLENTIVM · OPERA · AD EXTEROS · AVECTA VRBI · RECVPERATA

El río Nilo. *Obra colosal en mármol de 1,62 m. de altura, restituida por Francia después del Congreso de Viena. Se hallaba en el Jardín de las Estatuas («Antiquarium») de Julio II, adonde llegó probablemente en tiempos de León X, en 1513 aproximadamente. Es una obra romana del siglo I d.C., quizás tomada de un modelo helenístico.*

El Brazo Nuevo *(fachada norte, arriba; interior, abajo). Fue construido en estilo neoclásico (1817-22) por Raffaele Stern para colocar las nuevas adquisiciones y la estatua del Nilo. Se halla en el lado sur del Patio de la Piña y une el largo Corredor de Bramante a la galería de la Biblioteca Apostólica Vaticana, situada enfrente.*

El Augusto de Prima Porta (abajo, a la izquierda). La estatua del primer Emperador romano fue hallada en el siglo pasado entre las ruinas de la Villa de Livia, su esposa, en la localidad de Prima Porta. Probablemente se trata de la copia, realizada para la viuda (Augusto murió en el año 14 d.C.), de una estatua oficial en bronce, fundida después del año 20 a.C.

Sileno con Dioniso niño (abajo, al centro). Copia romana de un original griego de la escuela de Lisipo del año 300 a.C. aproximadamente.

La Atenea (abajo, a la derecha), procedente de la Colección Giustiniani, muy apreciada en el pasado y admirada por el mismo Canova, se inspira en una estatua de Fidias y es copia romana del siglo II d.C. de un original en bronce del siglo IV a.C.

Los orígenes de la Pinacoteca Vaticana se remontan a la galería de cuadros que Pío VI había inaugurado en 1790 en la actual Galería de los Tapices. Pero su institución se debe al Congreso de Viena (1814-15), cuando la Santa Sede se comprometió a exponer al público en un solo sitio los cuadros que Francia le había restituido, después de que se había apoderado de ellos con el Tratado de Tolentino (1797) impuesto al Papa. De los 506 cuadros que salieron, sólo regresaron 249. La organización definitiva de los cuadros, según un orden cronológico, en el edificio construido en 1929 por Luca Beltrami, fue inaugurada por Pío XI Ratti el 27 de octubre de 1932.

Giotto pintó con sus alumnos, este tríptico (1315 aprox.) con Cristo en el trono y Pedro y Pablo para el altar mayor de la antigua basílica de San Pedro. Se denomina también Tríptico Stefaneschi.

Fray Angélico. Virgen con el Niño y Ángeles entre Santo Domingo y Santa Catalina de Alejandría *(1435 aprox.). Fray Giovanni da Fiésole, llamado Fray Angélico, fue ordenado sacerdote hacia 1423-25 en el convento de Santo Domingo en Fiésole. Este pequeño cuadro que se expone en la Pinacoteca desde 1877 –por la alta calidad de la pintura, realizada con la punta del pincel sobre un fondo de pasta dorada esgrafiada en flores– denota un conocimiento profundo de la miniatura, confirmando así la paternidad del artista.*

Fray Angélico. San Nicolás y el mensajero imperial. *A la derecha, salva un velero (1447-50).*

Gentile da Fabriano. San Nicolás salva un buque. *Panel de un retablo (1425).*

Melozzo da Forlì. Ángel músico. *Fragmento de un fresco del año 1480 aproximadamente, procedente del ábside de la Basílica de los Santos Apóstoles.*

Vittore Crivelli. Virgen con el Niño y cuatro Santos *(1481)*. Hermano del más famoso Carlo Crivelli, Vittore colabora con Carlo en varias obras importantes, aplicándose a divulgar el estilo del hermano en muchos polípticos realizados para las iglesias del condado de las Marcas, como en éste denominado "Políptico de Grottammare".

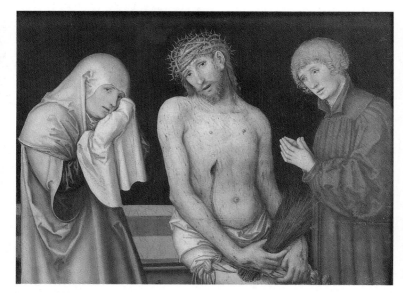

Lucas Cranach el Viejo *(1472-1533)*. La Piedad. *El cuadro se remonta probablemente al período de madurez del artista alemán.*

Leonardo. San Jerónimo. *Obra inconclusa del primer período de madurez del maestro. Se puede fechar hacia 1480.*

Rafael. La Transfiguración. *Terminada por Rafael en 1520, poco antes de morir. Se podría considerar como el testamento pictórico del artista.*

Rafael. La Virgen de Foligno. *Realizada hacia el año 1511 para la iglesia de Santa María in Aracoeli en Roma, fue llevada a Foligno después de 1564.*

Rafael. La Circuncisión de Jesús. *Panel de un retablo, obra juvenil del artista (1502).*

Rafael. La Caridad. *También parte de un retablo. Pintada en Perusa en 1507, un año antes de trasladarse el autor a Roma.*

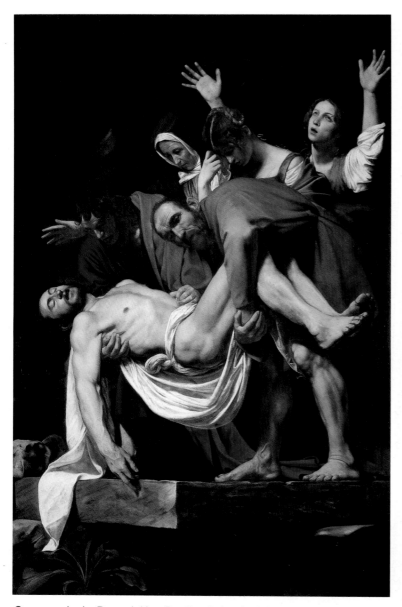

Caravaggio. La Deposición. *Realizada hacia 1602-4, durante la estadía en Roma del pintor lombardo.*

Guido Reni. San Mateo y el ángel. *Pintura que se puede fechar hacia los años 1635-40. Es obra de la plena madurez del artista boloñés.*

En la penúltima sala de la Pinacoteca se han colocado los modelos de yeso que sirvieron a Bernini para las esculturas de los doctores de la Iglesia y de los ángeles de la Cátedra en gloria de San Pedro (década de 1670).

El ala más reciente de los Museos Vaticanos, construida bajo el pontificado de Pablo VI y llamada "Paulina", está situada detrás de la Pinacoteca. Fue abierta al público el 15 de junio de 1970. Se conservan allí las colecciones del Museo Gregoriano Profano, *del* Museo Pío Cristiano *y del* Museo Misionero Etnológico *que se hallaban en el Palacio de Letrán y fueron trasladadas al Vaticano por deseo de Juan XXIII Roncalli, quien lo anunció públicamente el 24 de junio de 1962. En el Museo Gregoriano Profano se encuentran más que todo obras provenientes de las excavaciones realizadas en el siglo XIX en el territorio del Estado Pontificio.*

Níobe fugitiva, *denominada Níobe Chiaramonti porque se hallaba en el Museo que lleva ese mismo nombre. Probablemente se trata de un original de un artista ático del siglo II a.C.*

Cabeza romana de inspiración griega del siglo II d.C. Representa a Talía, musa de la comedia. De las excavaciones en el Seminario Mayor Lateranense.

En el *Museo Gregoriano Profano*, fundado por Gregorio XVI en 1844 en el Palacio de Letrán y trasladado al Vaticano en 1962 por deseo de Juan XXIII, se conserva una colección de antigüedades procedentes de excavaciones realizadas en el Estado Pontificio.

En el primer ambiente, las estatuas de Atenea *y* Marsias; *se inspiran en un grupo de bronce realizado por Mirón. La Atenea acéfala es un calco de yeso de una estatua romana; a la izquierda, la cabeza que corresponde a la estatua de la diosa. La estatua de Marsias es una copia romana en mármol del año 134 d.C.. A la derecha, el* Gimnasta *(mármol ático de mediados del siglo V a.C.), de la colección de Originales Griegos.*

El Viaje de Domiciano. *Relieve conmemorativo en el que el rostro del Emperador (81-96 d.C.), condenado a la «damnatio memoriae» por el Senado romano, fue reemplazado por los rasgos de su sucesor, Nerva.*

Fragmento de cipo funerario beocio. *Se puede fechar hacia el año 430 a.C. Esta obra recibió una enorme influencia de los relieves del Partenón y pertenece a la colección de los Originales Griegos.*

El *Museo Pío Cristiano,* fundado por Pío IX en 1854 en el Palacio de Letrán, ha sido trasladado al Vaticano como el Museo Gregoriano Profano. En él se guardan obras de la antigüedad cristiana que se hallaron en las catacumbas y en las excavaciones del siglo pasado, o que se conservaban en las iglesias de Roma y en el Museo Sacro de la Biblioteca. Fue abierto al público el 15 de junio de 1970.

Sarcófago *(abajo)* en forma de tina *con un pastor; a los dos lados, los cónyuges titulares (últimas décadas del siglo III).*

MVNIFICENTIA. LEONIS. XIII. P. M.

El *Museo Misionero Etnológico* fue fundado por Pío XI en el Palacio de Letrán el 12 de noviembre de 1926, transformando en exhibición permanente una exposición realizada en el Vaticano con ocasión del Jubileo del año anterior. El Museo, inaugurado en 1973 y organizado por Józef Penkowski, está actualmente en el sótano del Ala Paulina de los Museos Vaticanos. En él se pueden admirar obras de arte y manufacturas extraeuropeas de origen cultural cristiano y de otras religiones.

⇨

Buda predicando, *entre dos divinidades taoístas (China, Pekín, el primero; Shansi, las otras dos; dinastía Ta Ming, 1368-1644).*

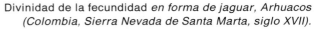

Kamboragea, divinidad acuática papua *(Nueva Guinea, siglo XIX).*

Máscara ritual *Vili (Congo, principios del siglo XX).*

Divinidad de la fecundidad *en forma de jaguar, Arhuacos (Colombia, Sierra Nevada de Santa Marta, siglo XVII).*

Colección de Arte Religioso Moderno. El origen de esta colección está vinculado a la Sección de Arte Contemporáneo, inaugurada en la Pinacoteca en 1960. Después de la exhortación de Pablo VI Montini a los artistas (7 de mayo de 1967) en la Capilla Sixtina, el coleccionismo de arte contemporáneo en el Vaticano cobró un gran impulso gracias a la obra de Monseñor Pasquale Macchi, secretario del Pontífice. La colección, que entonces contaba 542 piezas, fue inaugurada por Pablo VI el 23 de junio de 1973 y luego instalada en los Museos Vaticanos.

Francis Bacon.
Estudio para el Papa
de Velázquez *(1961).*

Filippo De Pisis.
Interior de una iglesia
(1926).

Georges Rouault.
Rostro de Cristo *(1946).*

Odilon Redon.
Juana de Arco.

Paul Gauguin.
Panel religioso *(1892 aprox.).*

Lucio Fontana.
Martín V *(1951-2)*.

Gino Severini.
Danza de la muerte *(1964).*

Emil Nolde.
Sacerdote *(1939-45).*

El *Pabellón de las Carrozas.* Fue organizado en 1968 e inaugurado en 1973 como Museo Histórico, con una exposición de objetos de los Cuerpos Armados pontificios. Desde 1987 constituye una sección del Museo Histórico cuya sede está en el Palacio de Letrán. Se pueden contemplar carrozas, coches del Papa y de los dignatariosde la Curia del siglo XIX, y los primeros automóviles pontificios (de Pío XI y Pío XII), como el Mercedes Benz de 1930.

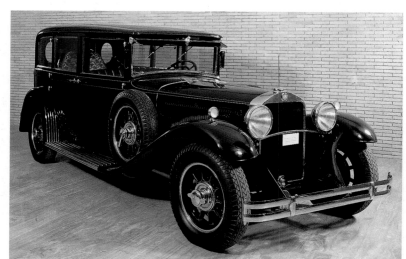

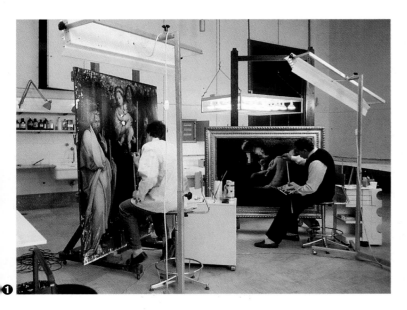

En el edificio de la Pinacoteca se encuentra el Taller de Restauración *de los Museos Vaticanos, instituido en 1925 bajo la responsabilidad del Director General de los Museos. En él trabajan 28 personas en las distintas secciones (pinturas* ❶ ❸, *bronces, terracotas, maderas, cerámicas). Anexo está el Gabinete de Investigación y Aplicaciones Científicas. En 1984, fue instalado junto al Museo Pío-Clementino el* Taller de Restauración de Mármoles ❷, *con equipos muy modernos y con la posibilidad de producir calcos de las estatuas.*

El Taller de Restauración de Tapices *(1926). La dirección de los Museos lo ha confiado a las religiosas Franciscanas Misioneras de María.*

En los bastiones del siglo XVI que corresponden al Museo Pío-Clementino y a la Pinacoteca, se halla la actual entrada a los Museos, inaugurada en 1932; está articulada en dos planos comunicados entre sí por una doble rampa helicoidal *que termina en un balcón circular cubierto con vidrios. La obra arquitectónica se debe a Giuseppe Momo.*

Una red de televisión *controla la afluencia de visitantes, alrededor de tres millones al año.*

A partir de 1971, se ha llevado a cabo en los Museos una *reorganización radical* de los servicios. Se han establecido varios itinerarios, señalados con distintos colores, con el objeto de facilitar a los visitantes la elección de los sectores que más les interesan en los siete kilómetros de recorrido. En 1989, los Museos y la Biblioteca Vaticana fueron premiados por la Comunidad Europea por las instalaciones de que disponen para los minusválidos. Las taquillas para la venta de boletos, la oficina de correos con sala de escritura, los dos puestos de venta de publicaciones, la ventanilla de cambio de moneda ❶, el guardarropa y la enfermería son algunos de los servicios que están a la disposición de los visitantes.

Se alquilan auriculares ❷ con cintas en varios idiomas que sirven de guía para visitar las distintas secciones de los Museos.

Los puestos de venta ❸ de reproducciones de obras de arte y de publicaciones sobre los Museos en numerosos idiomas están al cuidado de la Oficina de Venta de Publicaciones de los Museos Vaticanos.

Restaurante ❹ *con vista hacia los jardines y la cúpula de San Pedro.*

La Ciudad

El Vaticano de todos los días

Junto al Vaticano solemne que hemos admirado, está el de todos los días. Las Murallas Leoninas no encierran únicamente monumentos grandiosos u obras maestras de arte, ni en su interior se toman sólo decisiones importantes para la vida de la Iglesia universal; se desarrolla también, con toda tranquilidad, una humilde actividad cotidiana. Cerca de los cardenales y prelados trabajan sus colaboradoras domésticas: religiosas, parientas o simples empleadas, que todas las mañanas atraviesan la cancela de Santa Ana para hacer compras en el minúsculo barrio «industrial y comercial» de la ciudadela pontificia. Al lado de diplomáticos, monseñores y personajes destacados del pequeño Estado, se mueve un ejército, también pequeño, de empleados subalternos, obreros y artesanos sin los cuales el Vaticano no podría vivir. Si se cuentan los eclesiásticos, religiosos y laicos, éstos últimos son más del doble respecto a los demás: con 710 eclesiásticos y 393 religiosos y religiosas trabajan 2.587 dependientes laicos. En el macizo torreón de Nicolás V Parentucelli, dominado por el Palacio Apostólico, se presenta un ejemplo de contigüidad al mismo tiempo curioso e inevitable: tomando un mismo ascensor, sólo tres pisos separan las habitaciones del Papa —donde pulsa el corazón de la Iglesia— de las ventanillas de un banco donde se producen las oscilaciones de las monedas y los títulos. Entre el carácter meramente pastoral de la misión del Papa y la habilidad financiera de los responsables del «Istituto per le Opere di Religione» (Instituto para las Obras Religiosas) hay un verdadero abismo, una evidente antítesis. Pero el dinero, en este caso, se destina a las obras religiosas y a las iniciativas misioneras. En ese primer piso del palacio apostólico está la Sección Ordinaria del APSA (Administración del Patrimonio de la Sede Apostólica) y, al otro lado del Patio de San Dámaso, la Sección Extraordinaria que controla gran parte de las disponibilidades líquidas del Vaticano con las acciones ordinarias y obligaciones.

Siempre a unos pocos metros del torreón, atravesando la Vía de Santa Ana, encontramos el supermercado; se puede entrar con una tarjeta a la que tienen derecho sólo los dependientes y los 1.722 jubilados del Vaticano y sus familias, así como algunas entidades y organizaciones católicas.

Existe también un distribuidor de gasolina desde el cual se contempla el ábside de Miguel Ángel; y a la sombra de la cúpula prospera una pequeña huerta, en medio de jardines palaciegos y monumentos con lápidas que recuerdan los Papas bajo cuyos reinados fueron levantados. La huerta no está allí para dar un toque exótico al paisaje dominado por el «cupolone», sino para abastecer la mesa del Pontífice.

Mientras en la basílica resuenan la voz solemne del Papa, los coros de la Capilla Sixtina y los salmos entonados por los canónigos del capítulo, en la ciudadela se puede escuchar el chirrido de las sierras eléctricas en los talleres de mecánica o en la carpintería. Y si en la tercera logia de Rafael se mueven con paso afelpado los representantes de la mejor diplomacia del mundo, en la planta baja, en la modesta «Florería Apostólica», se guardan los muebles y objetos que adornan los apartamentos papales y cardenalicios.

Una familia ampliada

El Vaticano es un Estado muy pequeño que ofrece la base material indispensable a la soberanía y a la libertad de un poder espiritual que abarca el mundo entero. Si, como Estado, está al servicio de la libertad del Papa y de la Santa Sede, la pequeña ciudad del Vaticano presta también toda clase de servicios: hospedaje, banco, correos, supermercado e incluso invernaderos para las flores y plantas que adornan la basílica, sin olvidar la estación del ferrocarril, los consultorios médicos, la farmacia, la tipografía y la sede del periódico, la radio, y el helipuerto. Mientras el Papa, desde el segundo y el tercer piso del palacio apostólico afronta los problemas del mundo, por las calles de la ciudadela se sigue tranquilamente una vida de provincia.

Alguien ha descrito la ciudadela vaticana según los esquemas de un Estado. Ha resultado un cuadro muy singular. Todo puesto de trabajo, en el Vaticano, y toda propiedad, son públicos y no privados. Dependen directamente del Estado. Se diría que se trata de un rincón del mundo donde funciona, en realidad, un estatismo absoluto: no existe la economía de mercado y nadie puede abrir una tienda o negocio. Está permitido sólo el comercio de algunos géneros: alimentos, vestuario, gasolina, tabaco...

El Torreón de Nicolás V *es el más imponente de la muralla medieval (levantada por León IV); está situado a los pies del Palacio Sixtino.*

Podríamos continuar con estas curiosas analogías. En realidad, el Vaticano es un Estado cuyas dimensiones son semejantes a las de la administración de una pequeña ciudad o de una empresa media. Mejor dicho, tiene las características de una familia ampliada donde todos se conocen. Pero es cierto que el Papa ejerce la plenitud del poder legislativo, ejecutivo y judicial en virtud del primer artículo de la Constitución del Estado Vaticano, entrada en vigor el 7 de junio de 1929. Y es verdad también que Juan Pablo II, con quirógrafo del 6 de abril de 1984, dio «alto y especial mandato» al Cardenal Secretario de Estado de «representar al

Pontífice en el gobierno civil y de ejercer los poderes y responsabilidades inherentes a la soberanía temporal».

De todos modos, las dimensiones limitadas de este Estado facilitan las relaciones de tipo familiar. Haciendo un examen más profundo, el verdadero motivo de esto reside en el hecho de que todos son colaboradores del Papa, todos le ayudan en diversos niveles y con distintos oficios en su tarea de pastor universal de la Iglesia.

El Estado Vaticano pertenece al patrimonio cultural mundial y se caracteriza por una soberanía particular que lo sobrepuja: la soberanía de la Santa Sede. Se trata, como dijo

La "Casina" de Pío IV. Pirro Ligorio realizó en los jardines un refugio para los momentos de recreo del Papa Pío IV Medici. Consta de dos pequeñas construcciones: una villa principal y una logia en la parte anterior, unidas por un patio elíptico en cuyos extremos se levantan dos pabellones de entrada con dos escaleras curvilíneas. Tanto las fachadas como el interior presentan una exuberante decoración de conchas, mosaicos y estucos con temas mitológicos y pequeños frescos.

Juan Pablo II el 3 de octubre de 1979 en la ONU, de una soberanía «motivada por una exigencia vinculada al papado, que debe ejercer su misión con toda libertad». Por tanto, es un Estado al servicio de la libertad del Papa.

En la estructura política actual de nuestro mundo —mosaico de intereses antagonistas y de nacionalismos egoístas— no es fácil disfrutar de una efectiva libertad moral en el campo internacional si no se goza de una independencia jurídica. Lo reconoció incluso Bismarck, que no era ciertamente un amigo de la Iglesia católica: «Ya se trate de diez o de cien hectáreas de tierra, el Papa ha de ser soberano».

La introducción de la toponomástica en la ciudadela vaticana sólo desde hace dos décadas es un hecho muy singular. La decisión fue de Pablo VI, en 1972. Si bien la primera piedra de este conjunto de edificaciones único en el mundo había sido colocada idealmente con los ladrillos que cubrieron la tumba del apóstol Pedro en los años 64-67, y se puede decir que la ciudad propiamente dicha tiene dieciséis siglos y medio, o sea desde cuando se levantó la basílica constantiniana, a lo que siguió la construcción de hospederías y capillas. En las 44 hectáreas de la minúscula ciudad Estado del Vaticano hay ahora 78 topónimos: 41 calles y avenidas, 23 plazas y plazuelas y 14 patios.

De paseo por la ciudad-jardín

En la visita a la ciudad-jardín no se puede prescindir de comenzar por la «Villa Pía», más conocida como «Casina de Pío IV», gracioso testimonio del Renacimiento en los jardines papales que nos ayuda a pasar con toda naturalidad de la visita a los museos, a la biblioteca y al archivo —impregnada de un mensaje de arte y de ciencia— a una nueva etapa en el recorrido de la ciudad, enfocándola ahora como punto de apoyo de la libertad del Papa: un Estado sumergido en gran parte en la naturaleza, en los jardines que cubren las faldas de la Colina Vaticana. La Casina de Pío IV, creación artística rodeada de vegetación, está ahora a la disposición de la Pontificia Academia de Ciencias, casi como para sellar el matrimonio entre el arte y la ciencia bajo la protección papal.

Realizada por Pirro Ligorio para Pío IV Medici (1559-65) como refugio para los momentos de descanso, fue comenzada bajo Pablo IV Carafa (1555-59). La Casina consta de dos pequeñas construcciones: una villa principal y una logia en la parte anterior, unidas por un patio elíptico con una fuentecilla en el centro; en los extremos se levantan dos pabellones de entrada con fachadas en curva que hacen juego con la forma del patio, y dos escaleras curvilíneas. La idea era atrevida para la época, lo que hace de la Casina una de las obras más atractivas del manierismo arquitectónico en Italia y precursora del gusto barroco. Tanto las fachadas como el interior presentan una exuberante decoración de conchas, mosaicos y estucos con temas mitológicos y están cubiertos por pequeños frescos. Reina una mezcla curiosa de mitología e historia sagrada: musas y divinidades paganas junto a Moisés, la Anunciación y la Sagrada Familia.

Pirro Ligorio —condicionado por los planos de Bramante tanto en la construcción del ala occidental del Patio del Belvedere como en el proyecto del edificio que sirve de continuación a las logias en el Patio de San Dámaso— da rienda suelta a su vivaz fantasía en la obra de la Casina y se inspira en el arte antiguo como en un diccionario inagotable, reutilizando los términos con una sintaxis muy personal y con enorme desenvoltura. En 1922 se añadió a la parte posterior de la villa un nuevo edificio de estilo tendiente al clásico, no muy feliz, para alojar la Academia de Ciencias, revivida por Pío XI Ratti el 28 de octubre de 1936: la integran 80 académicos nombrados por el Papa sin ninguna discriminación, ni siquiera religiosa, entre los más insignes cultores de las ciencias matemáticas y experimentales de todos los países. El contexto ideal y el entorno de esta institución científica son únicos en el mundo. En el mismo edificio tiene su sede la Academia Pontificia para las Ciencias Sociales, fundada en 1994 por Juan Pablo II, quien ha fundado también la Pontificia Academia para la Vida.

Un bosque secular y muchas fuentes

Subiendo de la Casina de Pío IV hacia la cumbre de la Colina Vaticana, pasamos frente a la «Casa del Jardinero», edificada con los restos de una torre medieval que perteneció probablemente a las murallas construidas por Inocencio III

Casina de Pío IV. El patio elíptico, *llamado también Ninfeo, une los cuatro cuerpos arquitectónicos de la villa.*

(1198-1216); muy cerca está la estatua de San Pedro que formaba parte de un monumento más grande proyectado para conmemorar el Concilio Vaticano I.

Sigamos hacia la espléndida «Fuente del Águila», obra del flamenco Jan Van Santen cuyo nombre italianizado es Giovanni Vasanzio. Pablo V Borghese (1605-1621) había restaurado y ampliado el acueducto de Trajano, haciendo llegar el agua «Paola», llamada así en su honor, desde el lago de Bracciano hasta Roma. Recuerdo monumental de tal obra es la fuente con un águila de toba colocada sobre la gruta y una gran pila semicircular donde criaturas marinas y grifos legendarios participan en los juegos del agua que brota de las rocas. El águila y el grifo son los símbolos heráldicos de la familia Borghese.

Pablo V, que tanto hizo por embellecer los jardines, ordenó a Vasanzio, igualmente, la «Fuente de las Torres», que no está lejos de allí, llamada así por las dos torres almenadas a la gibelina con los grifos Borghese que sirven de marco a las rocas. Se denomina también «Fuente del Sacramento» porque la disposición de los chorros recuerda un altar con un ostensorio en el centro y velas a los lados.

La visita a las fuentes del Vaticano sería incompleta si se olvidara aquella tan famosa llamada «Fuente de la Galera», realizada, siempre bajo Pablo V, por Maderno. Está situada al pie de la escalera de Bramante y del lado oriental del palacete de Inocencio VIII Cybo. La fuente debe su nombre a un velero de cobre y plomo —posiblemente obra de Vasanzio— con cañones que echan agua en distintas direcciones, colocado en la pila en tiempos de Clemente IX Rospigliosi (1667-69). Desde hacía unos cincuenta años, había ya allí cerca, en la pared, una lápida con palabras del Cardenal Maffeo Barberini, futuro Papa Urbano VIII, que recordaban con algo de ironía: «los barcos de guerra pontificios no lanzan llamas, sino dulce agua que apaga el fuego de la guerra». Las fuentes son una gloria de Roma que se debe a los Pontífices. Las tres de la Plaza Navona y la celebérrima Fuente de Trevi, el «fontanone» del Janículo, así como las fuentes de las Tortugas, de las Abejas y del Tritón que todavía admiramos, las debemos todas a la munificencia de los Papas.

En días muy cálidos, además de gozar de la frescura de las fuentes, el Vaticano recibe refrigerio de un bosque secular de unas dos hectáreas de superficie, en el que abundan quejigos, robles, carrascas y cipreses, e incluso se contempla una majestuosa haya, árbol que por lo general crece a más de 800 metros de altura. Esto puede dar la idea de un verde más salvaje y menos ordenado que el de una ciudad-jardín como lo es, en realidad, el Vaticano. Las 18 hectáreas de los jardines fueron muy frecuentadas durante los 69 años en que los Papas permanecieron «presos» en el Vaticano - del 20 de septiembre de 1870 al 11 de febrero de 1929. En esa época, sin embargo, los jardines cubrían sólo la parte superior de la colina.

León XIII Pecci se paseaba por ellos incluso dos veces al día, soñando recuperar su libertad de aristocrático campesino y cazador apasionado. Emile Zola, en su novela «Rome», colocó a León XIII precisamente en el «jardín más bello del mundo». El Papa mandó sembrar olivos y una viña, e hizo poner una red para cazar pájaros que luego dejaba libres.

En la cumbre de la colina

Desde la huerta —un paisaje agreste en el punto menos pensado— se contempla, junto al bosque, en posición panorámica hacia la cúpula de Miguel Ángel, una torre erigida por Nicolás V Parentucelli en la muralla medieval de León IV: allí se trasladaba el Papa Pecci durante el verano y, para mayor comodidad, había mandado levantar una pequeña construcción. La torre, denominada también Torre de los Jardines, era un punto estratégico de observación hacia el sur y hacia el Monte Mario desde donde se comenzaron a mirar también los astros cuando, bajo Pío X Sarto (1903-14), fue trasladado el Observatorio Astronómico (la «Specola»).

Se puede decir que desde esa torre —ahora sede de la dirección de la Radio Vaticana y de algunas de sus oficinas— la voz del Papa llega a todo el mundo. La emisora transmite en 42 lenguas a todos los continentes, gracias a un sistema de antenas fijas y dos antenas rotantes con torres de 79 y 107 metros colocadas en Santa María de Galeria, localidad situada a 24 kilómetros al norte de Roma. A unos 250 metros de la torre, funciona todavía el edificio del Centro de Transmisiones «Marconi», proyectado por Guglielmo Marconi e inaugurado con un famoso radiomensaje de Pío XI el 12 de febrero de 1931. El Papa habló por un micrófono octagonal suspendido por cuatro pinzas en un aro de hierro; éste se conserva como objeto histórico en la dirección. Entre los presentes estaba el Cardenal Secretario de Estado Eugenio Pacelli, quien, elegido Papa con el nombre de Pío XII, promoverá el desarrollo de la emisora. La primera instalación de la Radio Vaticana fue realizada por la Sociedad Marconi de Londres; las antenas Franklin, colocadas detrás de la cúpula de Miguel Ángel, fueron consideradas un prodigio de la técnica en ese tiempo.

No muy lejos de la torre, precisamente donde termina la muralla detrás de la Fuente del Águila, un edificio que surge junto a la huerta ha tenido una transformación: de residencia del director de la radiodifusora ha pasado a ser, hace unos pocos años, por deseo del Santo Padre, un monasterio de religiosas contemplativas. Actualmente, ocho clarisas de distintos continentes oran todos los días por el Papa, por su ministerio y por toda la Iglesia. Cada cinco años serán reemplazadas por religiosas de otras órdenes. El monasterio es un depósito secreto de gracias espirituales.

En nuestro recorrido por los jardines, encontramos distintas estatuas de la Virgen y de los Santos. Por ejemplo, la reproducción de la Virgen de la Guardia que regalaron los genoveses a su ilustre conciudadano Benedicto XV della Chiesa (1914-22). En una parte de la muralla que presenta una amplia brecha está la gruta de la Virgen de Lourdes, don de los católicos franceses a León XIII Pecci; fue reconstruida en escala, un poco más pequeña que la de Massabielle. El altar es el mismo que permaneció durante cien años ante la gruta de las apariciones. Otros dones de los católicos: las estatuas de Nuestra Señora de Guadalupe, de Santa Teresita del Niño Jesús y de San Bernardo. Entre los últimos dones recibidos, una estatua de la Virgen de Czsestochowa que lleva el número 53.326 de los Museos Vaticanos y está al lado del helipuerto; y una «Mater Misericordiae» en cerámica, regalada por los católicos de la ciudad de Savona en Italia.

Desde el helipuerto, con empuje misionero

Este «helicopterorum portus», realizado en 1976 en el bastión más elevado de la colina, es el punto desde el cual el Papa se lanza en sus empresas misioneras. Hablando de murallas, si se exceptúan la plaza de San Pedro y el trayecto que va desde el brazo de Carlomagno hasta el Palacio del Santo Oficio, toda la Ciudad del Vaticano está rodeada de potentes murallas con algunos bastiones construidos en el período comprendido entre los pontificados de Pablo III

Los Jardines, vistos desde la cúpula. Se contempla, abajo, la Casa del Jardinero con una torre de la muralla medieval; la estatua en bronce de San Pedro, monumento conmemorativo del Concilio Vaticano I; la Fuente del Águila; el edificio construido en la muralla para los momentos de descanso de León XIII (actualmente sede de la dirección de la Radio Vaticana).

Farnese y Urbano VIII Barberini, es decir, entre 1540 y 1640. Debido a la falta de espacio, fueron utilizadas incluso las terrazas de los bastiones. En la del Belvedere hay actualmente un campo de tenis. Se llega por la Avenida del Deporte que bordea el palacete de Inocencio VIII Cybo y la escalera de Bramante.

En otro bastión están instalados los almacenes de la «Vignaccia». Casi enfrente, colocado significativamente en la Avenida de San Benito, compatrono de Europa, se levanta un fragmento del muro de Berlín de 3,60 por 1,20 metros, que pesa 2.600 kilos. Fue regalado a Juan Pablo II en agradecimiento por el papel moral determinante que tuvo en las vicisitudes que cambiaron tan profundamente la historia de Europa con la caída del comunismo.

Desde el helipuerto, que es el punto más alto, se comienza la bajada. Llama la atención inmediatamente la Torre de San Juan. Juan XXIII Roncalli (1958-1963) la mandó adaptar para transcurrir en ella algunos períodos de meditación y soledad. Consta de un apartamento de cuatro pisos comunicados por un ascensor. La torre pertenece al primer sistema de defensa construído por León IV en el año 848.

Juan Pablo II permaneció allí durante unas semanas inmediatamente después de la elección, mientras le arreglaban el apartamento privado en el palacio apostólico. En la torre se han alojado algunos personajes importantes: el Cardenal Mindszenty cuando estaba exiliado y, en sus visitas al Vaticano, los patriarcas de Constantinopla Athenágoras, Dimitrios y Bartholomáios, así como algunos reyes y jefes de Estado.

El «cupolone» domina todos los rincones, en medio del verde intenso de los jardines y prados que mantienen ese color, incluso durante los meses de verano, gracias a una red hídrica subterránea para el riego. Un extenso jardín a la italiana invita a bajar de la colina. Lo primero que se ve es la estación de ferrocarriles, de estilo neoclásico. En esta pequeña estación se cuentan por lo menos dos mil llegadas de mercancías al año, procedentes de Italia y de otros países. Curiosamente, una verdadera cortina de hierro divide en ese punto a Italia y el Vaticano: una enorme puerta de hierro que funciona con electricidad. La red de ferrocarriles del Vaticano tiene 861,78 metros de largo. De la estación no salen pasajeros. Excepcionalmente, Juan XXIII Roncalli la utilizó para su viaje a Asís y Loreto el 4 de octubre de 1962, una

La Fuente del Águila. *Pablo V dio mucha importancia a los Jardines, embelleciéndolos con varias fuentes. De éstas, las dos principales, reproducidas en las páginas siguientes, son obra del holandés Jan van Santen, llamado Vasanzio, que las decoró con águilas y grifos, símbolo de la familia Borghese.*

semana antes de la inauguración del Concilio. También Juan Pablo II tomó un tren el 8 de noviembre de 1979 para ir a la estación de maniobras de los ferrocariles situada en el sector Salario de Roma y celebrar con los ferroviarios su jornada nacional.

El Colegio Etiópico y el Colegio Teutónico tienen el gran privilegio de hallarse en el interior de la «Ciudad Leonina». El Seminario Etiópico está situado en el lugar que ocupaba el antiguo hospicio adonde llegaban los abisinios a principios del siglo XV, anexo a la iglesia de San Esteban de los abisinios que se remonta al siglo IX —precisamente a los tiempos de León IV— y es una de las nueve iglesias paleocristianas que existen en el mundo, con una cripta semianular como San Pedro.

El Colegio Teutónico, con el Cementerio homónimo, está vinculado a una antigua historia de peregrinaciones y romerías procedentes de los países de habla alemana. El Colegio ocupa el lugar de la «schola francorum» fundada por Carlomagno en el año 799. Para mayor exactitud, el Colegio y el Cementerio están ubicados inmediatamente por fuera de los límites del Vaticano, entre la basílica y el Aula Nervi, la enorme sala de las audiencias pontificias. Desde luego, toda la zona goza de la extraterritorialidad.

El edificio del «Governatorato» (la Gobernación) domina con su mole la Colina Vaticana por un lado. Edificado a fines de los años 20, es el centro administrativo del pequeño Estado constituido mediante el Tratado Lateranense. Allí tienen su sede la Pontificia Comisión para el Estado de la Ciudad del Vaticano y las oficinas directivas que de ella dependen. En el prado, frente al edificio, está dibujado el escudo del Papa reinante en un macizo de plantas que cambian según la estación del año. A la izquierda del ábside de Miguel Ángel se divisa el Taller del Mosaico que perpetúa, aún hoy, la tradición artística que comenzó en 1557 con la decoración de la basílica. En él se guardan esmaltes clasificados en 28 mil colores, distribuidos en más de 10 mil cajones.

Bajando hacia la izquierda, se asoman a una amplia plaza el edificio donde tienen su sede el Tribunal y la Oficina central del Cuerpo de Vigilancia, formado por unos cien vigilantes; éstos, con profesionalidad y abnegación, garantizan el servicio de orden y de seguridad en las ceremonias papales y en todo el Estado Vaticano. La plaza lleva el nombre de Santa Marta por el Hospicio de Santa Marta, el "hotel" de la Ciudad del Vaticano. Hasta hace poco tiempo estaba dividido en dos partes: un ala con unos cuarenta miniapartamentos para prelados de la Curia y otra para recibir grupos de peregrinos. El edificio ha sido remodelado y en él se podrán alojar, en adelante, 120 Cardenales, Obispos y Prelados de paso por Roma. Durante los futuros Cónclaves, los Cardenales electores residirán aquí, yendo siempre a votar a la Sixtina.

Para dirigirse hacia la parte comercial de la ciudad, es preciso tomar la Vía delle Fondamenta que bordea el ábside de la basílica. Se llega a la Piazza del Forno, llamada así porque estaba el «horno apostólico»; en la plazuela, con una de las entradas principales a los palacios apostólicos, se cruzan cinco calles. Después de la toma de Roma en 1870, se enfrentaban en esta plaza los soldados italianos y los pontificios porque precisamente aquí estaban marcados los límites. Al atravesar el portón del Palacio Vaticano, entrando en el Patio del Centinela, se baja, a mano izquierda, al Patio del Belvedere, a través de una especie de túnel denominado «il grottone», situado bajo el ala occidental de los museos construída por Pirro Ligorio.

En el Patio del Belvedere se puede admirar, esta vez desde abajo, la exedra situada al pie del palacio papal donde fue representada por primera vez la Mandrágora de Machiavelli y, en 1565, se realizó un lujoso torneo con motivo de la boda de dos sobrinos de Pío IV Medici: Annibale Altemps y Ortensia Borromeo.

El barrio comercial

Pasando bajo el ala de Bramante, que tiene el aspecto de un fuerte y largo bastión, llegamos a la zona donde están algunos servicios esenciales de la Ciudad Vaticana, comenzando por los Correos centrales que despachan en un año cuatro millones de cartas y quince millones de tarjetas postales. Cada oficina del Vaticano tiene derecho a un costal para el correo. Uno de ellos lleva la etiqueta: «Santo Padre». El Papa recibe más de dos mil cartas diarias.

Junto a la oficina de correos está la gloriosa Tipografía Políglota que utiliza la videocompaginación desde hace ya algunos años. Reemplaza la antigua imprenta (Stampería Vaticana) fundada por Sixto V Peretti en 1587. Aún conserva en su depósito antiguos tipos de plomo de unos quince

La Fuente del Sacramento *ocupa el lugar de una puerta de la muralla leonina; lo indican las dos torres falsas de los lados. Esta fuente debe su nombre a la disposición de los chorros que recuerda las seis velas de un altar.*

PAVLVS·V·PONTIFEX·MAXIMVS
AD·AVGENDVM·PALATII·PROSPECTVS
ET·HORTORVM·DECOREM
FIERI·IVSSIT·PONT·ANNO·IV

La Fuente de la Galera. *Realizada por voluntad de Pablo V al pie de la Escalera de Bramante. Recibió ese nombre cuando se le colocó el velero de plomo, bajo Clemente IX (1667-69) .*

La Escalera de Bramante, *comenzada por él probablemente a fines de 1511, fue terminada por Pirro Ligorio en 1564. Está encerrada en una torre junto al Palacete de Inocencio VIII y comunica el Belvedere con los jardines.*

idiomas. A cargo de los Salesianos, publica actualmente escritos en unos treinta idiomas. Hay en ella una sección «secreta» para la impresión de los documentos pontificios: las seis u ocho personas que allí trabajan juran mantener el secreto de los textos que elaboran.

En la actual sede de la tipografía había antiguamente un taller de fundición de material pesado y artillería. Bajo Urbano VIII Barberini, en la primera mitad del siglo XVII, se fundieron en sus hornos, entre otras, la estatua de Napoleón de la Plaza Vendôme en París, la del ángel del Castillo Sant'Angelo en Roma y la estatua de la Inmaculada que está en la Plaza de España también en Roma.

La vecina Editorial Vaticana (Libreria Editrice Vaticana) puede preciarse de haber sacado las primeras ediciones de libros sagrados en tiempos de Aldo Manunzio y sus hijos. Ahora es una editorial moderna cuya actividad principal es publicar las Actas del Papa y de la Santa Sede. El «Osservatore Romano», fundado en 1861, es el diario más antiguo que se publica en Roma. Los viejos linotipos de hace algunos años han sido reemplazados por la videocompaginación; se publican seis ediciones semanales en distintas lenguas y una mensual en polaco.

El último de los «mass media» de que dispone el Vaticano es el Centro de Televisión Vaticano cuyo objetivo es «desarrollar la presencia de la vida de la Iglesia y de su jerarquía gracias a la utilización de los audiovisuales».

Detrás del edificio de los correos funcionan los consultorios del Servicio Sanitario que cuenta con unos sesenta especialistas y médicos, alrededor de diez enfermeros profesionales y cuatro técnicos. Doce puestos de primeros auxilios están a la disposición de los peregrinos. La Farmacia, administrada por los Hermanos de San Juan de Dios, es famosa porque en ella se encuentran medicinas que no están comercializadas en Italia.

Más allá del Supermercado, del que ya hablamos, se llega al Parque de automóviles, situado en el lugar que ocupaban las escuderías papales a principios del siglo. El Parque consta de 58 automóviles, 27 furgones y camiones, 6 autobuses, y 7 vehículos especiales. En la ciudad funcionan 81 ascensores y montacargas. En los subterráneos del Parque se puede visitar un antiguo cementerio que fue descubierto en 1956 durante las excavaciones para poner los cimientos del edificio y que forma parte de la necrópolis que se extendía a lo largo de la Vía Trionfale. El mayor encanto de esta necrópolis, de la que se han podido sacar a la luz unos 240 metros cuadrados, es la característica casi única de haber presentado, en el momento en que fue descubierta, un estado de conservación muy semejante a las condiciones originarias, como sucedió con la necrópolis situada bajo la basílica de San Pedro.

O Roma felix

La visita al barrio comercial e industrial de la ciudadela está por terminar. La actual Vía del Pellegrino (calle del Peregrino) era el último trecho de la Vía Francígena (calle de los Francos) que recorrían los peregrinos procedentes de Italia del norte y de los distintos países de Europa. Llegados a la meta, entonaban conmovidos el himno «O Roma felix», una alabanza a Roma cuya tierra había sido lavada con la sangre de los príncipes de los Apóstoles Pedro y Pablo. La Iglesia de San Pellegrino fue fundada probablemente por León III a principios del siglo IX. Junto a ella surgía el "xenodoquio", es decir, el lugar donde se hospedaban, durante la Edad Media, los peregrinos que se dirigían a la basílica de San Pedro. Al fondo de la calle, se llega a la Vía de Santa Ana, con la parroquia de los residentes en el Vaticano dedicada a Santa Ana de los Palafreneros, los encargados de cuidar de los caballos del Pontífice y de su corte, pues las escuderías estaban muy cerca de aquí. La iglesia fue edificada con planos de Jacopo Barozzi, famoso con el nombre de Vignola. Junto está la entrada más frecuentada de la ciudad, que también lleva el nombre de Santa Ana.

La Vía Francígena tenía un último tramo más allá de la Vía del Pellegrino, donde está hoy el patio de los Suizos. A éste se asoma el cuartel de los cien miembros de un Cuerpo militar, todos de nacionalidad suiza, «cuya tarea principal consiste en vigilar constantemente por la seguridad de la sagrada persona del Santo Padre y de su residencia». La idea de una guardia formada sólo por suizos la tuvo un Papa genial: Julio II.

Con la construcción del nuevo San Pedro, los frescos de la bóveda de la Sixtina que ordenó a Miguel Ángel, y los que comisionó a Rafael en las famosas Estancias, la creación de la Guardia Suiza es la cuarta iniciativa que permanece vinculada a Giuliano della Rovere en la memoria colectiva. La Guardia,

La Gruta de Lourdes. Fiel reproducción de la Gruta de Massabielle. Fue un don de los católicos franceses a León XIII, cuyo retrato en mosaico está arriba a la izquierda; a la derecha, el del obispo Schoepfer de Tarbes-Lourdes. El altar es el original de la gruta de Lourdes y fue enviado a Juan XXIII en 1958, con ocasión del centenario de la aparición de la Virgen.

El edificio de León XIII y la Torre de los Jardines (arriba, a la izquierda) en las murallas medievales de León IV y actualmente sede de la dirección de la Radio Vaticana.

El Centro de Transmisiones «Marconi» (arriba, a la derecha), aún funcionante, fue proyectado por Marconi e inaugurado por Pío XI el 12 de febrero de 1931 con un radiomensaje dirigido a todo el mundo.

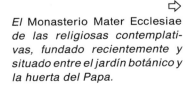

El Monasterio Mater Ecclesiae de las religiosas contemplativas, fundado recientemente y situado entre el jardín botánico y la huerta del Papa.

que lleva el famoso uniforme de rayas amarillas, rojas y azules, está formada por cien unidades, de las cuales 70 son alabarderos.

El patio termina en la famosa «porta Sancti Petri» (puerta de San Pedro). Era el punto más importante de acceso al Vaticano en la época medieval. A través de ella llegaban los peregrinos a la gran plaza y pasaban luego al centro espiritual, meta de su peregrinación: la basílica, con las reliquias más preciosas de la cristiandad. Al cabo de meses, a veces con las lágrimas en los ojos, terminaban un viaje lleno de peligros, incluso para su propia vida, por las enfermedades y los asaltos de los bandidos. La actual puerta de San Pedro, ocultada desafortunadamente por la columnata del lado septentrional de la plaza, no ha perdido su imponencia con el tiempo. La que admiramos ahora es una reconstrucción realizada por Alejandro VI Borgia, y se remonta a 1492. Antiguamente llevaba el nombre de «porta Viridiaria» porque daba a los jardines del Papa. Está en la parte de la muralla de León IV que va del palacio apostólico al castillo Sant'Angelo. El muro, de 800 metros de largo, se denomina «passetto» por el corredor que comunicaba la basílica y el palacio apostólico con el fuerte de Sant'Angelo.

Gracias a ese corredor y al sacrificio de 147 suizos, Clemente VII Medici pudo refugiarse en el Castillo el 6 de mayo de 1527, salvándose del asalto de los lansquenetes durante el Saqueo de Roma. Nos hallamos en un rincón maravilloso de fines del siglo XV, ocultado por la columnata. En la fachada meridional de la puerta vemos aún el revoque acribillado por los arcabuzazos de los lansquenetes. Si atravesamos idealmente la puerta, como los antiguos peregrinos procedentes del Norte —los que llegaban del Sur entraban en la «platea Sancti Petri» por las puertas del «Santo Spirito» y de los «Cavalleggeri»— terminamos nuestro recorrido por la ciudad-Estado que es, en gran parte, una ciudad-jardín.

El Edificio del "Governatorato" (la Gobernación) es la sede de la Pontificia Comisión para el Estado de la Ciudad del Vaticano. Del Governatorato dependen todos los servicios necesarios para el funcionamiento del pequeño Estado, como la emisión de estampillas y de moneda, el ferrocarril que se utiliza para el transporte de mercancías y la Villa Pontificia de Castel Gandolfo con la anexa "Specola Vaticana" (Observatorio Astronómico).

La Estación de Ferrocarriles. *Construida por Giuseppe Momo poco después de la fundación del Estado del Vaticano en 1929. Una enorme puerta de hierro separa la línea del ferrocarril Vaticano de la del Estado italiano. En el edificio hay también un museo numismático y filatélico.*

San Esteban de los Abisinios, *la iglesia más antigua del Vaticano cuyo portal está cubierto por un lindísimo friso de mármol.*

La iglesia de Santa Ana, *de planta central, obra de Jacopo Barozzi llamado el Vignola (1572), fue construida para la Confraternidad de los Palafreneros de la Corte Pontificia. Actualmente es la parroquia de la Ciudad del Vaticano. La Cancela de Santa Ana, custodiada por la Guardia Suiza, es la entrada de servicio de la Ciudad del Vaticano.*

La iglesia de San Pellegrino *da a la actual Vía del Pellegrino, que antiguamente era el último trecho de la Vía Francígena (de los Francos); ésta, en la Edad Media, comunicaba a Roma con el Norte: era la que recorrían los peregrinos procedentes del norte de Italia y de los países transalpinos. El oratorio se remonta probablemente al pontificado de León III (795-816). El fragmento de fresco con Cristo que bendice en el centro del ábside es el más antiguo del Vaticano (exceptuando la decoración de los mausoleos de la necrópolis) y se remonta a principios del siglo IX; los santos que están a sus lados son del siglo XVII, según modelos del siglo XIV. A partir de 1653, la iglesia estaba atendida por la Guardia Suiza que enterraba a sus muertos en el cementerio contiguo. Desde mediados del siglo XX, está al cuidado del Cuerpo de Vigilancia (llamado antes Gendarmería).*

La Puerta de San Pedro. *La actual puerta es una reconstrucción realizada en 1492, durante el pontificado de Alejandro VI, de la antigua puerta por donde la Vía Francígena desembocaba en la plaza de la basílica. Se denominaba también Puerta Viridiaria porque hasta allí se extendían entonces los Jardines Vaticanos.*

⇨

El "laberinto" del jardín a la italiana, detrás del Colegio Etiópico. Al fondo, la cúpula de San Pedro.

La Guardia Suiza *celebra la fiesta del Cuerpo el 6 de mayo, aniversario del famoso episodio en el cual los Suizos se sacrificaron para salvar la vida de Clemente VII Medici del ataque de los Lansquenetes del Emperador Carlos V (1527). El Papa logró salvarse encerrándose en el Castillo Sant'Angelo, adonde pudo llegar a través del "passetto", el corredor de la muralla de León IV. El Cuerpo de la Guardia Suiza fue instituido por Julio II el 21 de enero de 1506. El cuartel comprende dos edificios situados a los pies del Torreón de Nicolás V que bordean el último trecho de la antigua Via Francígena (actual Patio de los Suizos) hasta el arco de la antigua Puerta de San Pedro. La Guardia Suiza lleva todavía el uniforme diseñado en el siglo XVI con los colores de la Casa Medici (azul, amarillo y rojo). El servicio de los suizos consiste en proteger al Papa y guardar el Palacio Apostólico y las entradas al Vaticano.*

La Plaza

Un escenario natural para la fe

Nuestro recorrido por el Vaticano se ha transformado a menudo en peregrinación religiosa a santos lugares y en ella nos han servido de guías algunos genios del arte. De regreso al punto de partida, a esa plaza maravillosa, experimentamos una nueva capacidad de apreciar los monumentos y lo que es el Vaticano. Ahora comprendemos ese hilo conductor que va desde el sepulcro del Apóstol hasta la Ciudad-Estado, logrando así una visión de conjunto.

Envueltos por el abrazo de la columnata de Bernini, podemos sólo decir que es «la plaza más bella del mundo, ante el templo más grande de la cristiandad». Pocos lugares producen una emoción igual a la que se siente al atravesar, incluso después de muchas veces, ese anfiteatro gigantesco dotado de una escenografía fantástica; ese conjunto sencillo y grandioso, variado y equilibrado, antiguo y moderno al mismo tiempo. No sin razón, se ha considerado como la creación más genial de Bernini, entre las muchas obras que dejó en el Vaticano.

La plaza no suscita únicamente una admiración artística; el sentimiento religioso encuentra en ella, por decirlo así, su escenario natural. Terminado el recorrido por el Vaticano, podemos distinguir mejor, bajo las formas monumentales, tres realidades: la Iglesia católica, el Papa, y el Estado de la Ciudad del Vaticano. En la plaza, como en la basílica, percibimos con los ojos la síntesis arquitectónica de la religión cristiana.

La inmensa plaza se puede dividir en dos partes. La primera es una amplia elipse, de 196 metros de ancho por 148 de largo, realizada por Gian Lorenzo Bernini de 1656 a 1667 bajo el pontificado de Alejandro VII Chigi. Está formada por dos hemiciclos unidos por un área central rectangular. Bernini, el gran genio del barroco cerró la parte curvilínea de la plaza con la imponente columnata de orden dórico; ésta da a la gigantesca arquitectura una majestuosidad que produce una profunda emoción. Las 284 columnas de travertino de 16 metros cada una, dispuestas en cuatro filas, forman tres galerías. Encima de la columnata, que mide 18 metros y medio de alto, se levantan 96 estatuas de 3,20 metros. Forman alrededor de la plaza una corona de mártires, confesores, vírgenes y anacoretas, realizados por los discípulos de Bernini según diseños del maestro.

Entre la plaza y el atrio de la basílica hay una zona trapezoidal que comienza con una escalinata; la enmarcan dos corredores cubiertos de 120 metros de largo y rectilíneos que se van abriendo hacia la fachada y hacen que la basílica parezca más cercana. Sobre la balaustrada de los corredores se asoman otras 44 estatuas, como si participaran en la marcha de los peregrinos. En total, una procesión de 140 santos que parece acoger y guiar, desde lo alto, la peregrinación de la Iglesia militante que desfila en la parte baja. Bernini había proyectado, para cerrar la elipse monumental, otra ala de la columnata que, dejando de lado y lado dos aberturas, seguía la curva de las otras dos columnatas, completando así la maravillosa plaza.

Este memorable espacio religioso sirve de preparación para entrar en la basílica desde hace más de tres siglos, y en no pocas ocasiones del año se transforma en una enorme iglesia al aire libre o en inmensa aula de encuentro de los modernos peregrinos con el sucesor de Pedro. Los potentes brazos que encierran la elipse sugieren la idea de una espaciosa casa común. En su columnata semicircular, Bernini logró reproducir el gesto de acogida que le habían solicitado. En efecto, en el códice Chigi de 1600 estaba escrito: «Siendo la iglesia de San Pedro casi la matriz de todas las demás, debía tener un pórtico que demostrara que recibía maternalmente con los brazos abiertos a los católicos para confirmarlos en la fe, a los herejes para reunirlos en la Iglesia y a los infieles para iluminarlos acerca de la verdadera fe».

Testigo mudo del martirio

Al llegar al centro de la plaza, encontramos el elemento más precioso de esta gran escenografía de la acogida: el obelisco. Su valor es enorme desde el punto de vista histórico-arqueológico. Es el segundo de Roma por lo que se refiere al tamaño, y tiene casi dos mil años de existencia; fue mandado erigir por Cayo Cornelio Gallo, Prefecto de Egipto. Su importancia religiosa es aún mayor: el monolito es el único «testigo mudo» del martirio de Pedro. Según una antiquísima tradición, el apóstol fue crucificado con la cabeza hacia abajo,

Vista de la plaza de San Pedro con la columnata de Bernini y el obelisco, «testigo mudo» del martirio de Pedro.

«iuxta obeliscum», es decir, «junto al obelisco» que se levantaba en la espina del circo de Gayo y de Nerón, donde con Pedro profesaron la fe hasta la muerte los 980 protomártires de Roma.

El monolito de granito rojo oriental, que mide 25 metros de largo y pesa 327 toneladas, fue mandado transportar desde Alejandría de Egipto en una enorme balsa por Calígula para adornar su circo privado.

Ante el obelisco se realizaron las primeras ejecuciones en masa de cristianos en el año 64: iluminado por antorchas humanas, asistió al triunfo de la persecución contra los seguidores de Cristo. No existe monumento más digno para conmemorar los trágicos principios de la comunidad cristiana de Roma. Ahora celebra el triunfo de la Cruz, ve la gloria de los mártires, exalta el papado.

Durante más de 15 siglos ha sido un elemento de continuidad entre la Roma antigua, «caput mundi» del imperio y el paganismo, y la nueva Roma, «caput mundi» por el primado papal.

Todo cambiaba a su alrededor, y el obelisco seguía a la derecha de la basílica constantiniana, rodeado de hospicios y capillas. Varios papas pensaron en hacerlo trasladar frente a la basílica, pero todos los proyectos fracasaron por ser una empresa muy difícil. Incluso Miguel Ángel la consideró imposible. Sixto V Peretti, acostumbrado a no detenerse ante ningún obstáculo, pudo realizar ese deseo gracias a la ciencia mecánica de su arquitecto Domenico Fontana. El 30 de abril de 1586, se dio comienzo al gigantesco trabajo con la demolición de algunas casas y la apertura de una amplia brecha en la antigua sacristía. Con la ayuda de 5 palancas poderosas, 47 árganos, 140 caballos y 900 hombres, fue realizada esa obra titánica en 52 "tiempos". Terminó el 10 de septiembre, porque los trabajos se habían interrumpido durante el verano.

Lo ilustra un fresco en la Biblioteca Vaticana. Desde ese momento, el obelisco, en el centro de la plaza, exaltará por siempre la fe cristiana contra los paganos, como lo dicen las cuatro inscripciones que mandó poner Sixto V en los basamentos del monolito. La bola de bronce que estaba en la cúspide y, según una leyenda medieval, contenía los restos de Julio César, fue reemplazada por una reliquia de la Cruz de Cristo.

Dos ventanas abiertas hacia el mundo

Desde el obelisco, volvamos la mirada hacia dos ventanas muy especiales que dan a la plaza: una en el centro de la fachada de la basílica, la otra en el tercer piso del palacio apostólico: el estudio del Papa. Cuando se abren esas ventanas, el Vicario de Cristo se dirige a la gente que está en la plaza y a los pueblos que lo escuchan en todos los países.

Desde la logia central de la basílica se anuncia la elección del nuevo Papa y allí mismo se presenta por primera vez el recién elegido. Desde la logia, en Navidad y en Pascua, el Pontífice imparte la bendición y habla «Urbi et Orbi» a la ciudad de Roma y a todos los continentes en más de 50 lenguas a través de la televisión.

Los domingos, en cambio, desde la otra ventana «abierta hacia el mundo», el Papa reza el Ángelus a mediodía e imparte su enseñanza semanal. Y la estupenda elipse que observan todos los pueblos de la tierra se transforma en un foro planetario abierto no sólo a los católicos, sino a todo hombre de buena voluntad que quiera ser acogido y escuchar un mensaje auténtico que viene de Dios y que lo interpela sobre el sentido profundo de la existencia. La plaza sirve de caja de resonancia al mensaje papal.

Al visitar la tumba de Pedro nos acercamos a las raíces apostólicas de la Iglesia, vinculadas directamente a Cristo; en la basílica escuchamos y oramos con la gran asamblea, reunidos alrededor del Pastor universal de la Iglesia; en la plaza somos recibidos, y de aquí volvemos a partir. Los brazos abiertos no pretenden encerrar: el mismo gesto de acogida sirve también para el envío a la misión. En esa especie de sístole y diástole «late el corazón» del Vaticano. Es la imagen del corazón de la Iglesia.

Un lindo viaje que no ha terminado

En el Vaticano hay otro lugar de acogida y de misión: el Aula «Pablo VI». Por ella pasan millones de personas que asisten a las audiencias del Papa de los miércoles: ven al Papa,

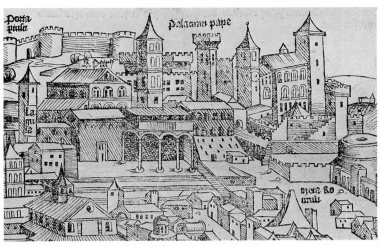

La Plaza de San Pedro *en una xilografía de la «Cronaca del Mondo».
Obra de Hartmann Schedel, publicada en 1493, en la que se destacan la
estructura del antiguo San Pedro, la Logia medieval de las Bendiciones
y el campanario, construido en el siglo VIII y demolido en 1610.*

lo saludan, escuchan su catequesis y salen confirmadas en la
fe por el ministerio del sucesor de Pedro y Pablo.

La enorme aula es la última gran obra arquitectónica que
dejará las huellas de nuestros decenios en la historia plu-
rimilenaria del Vaticano. Fue una idea muy audaz de Pablo VI
Montini (1963-78), quien la comisionó a Pier Luigi Nervi. El
famoso ingeniero tuvo que afrontar la difícil tarea de levantar
una construcción funcional en las cercanías de la basílica.
Inaugurada en 1971, tiene una capacidad de 6.300 puestos
sentados, además de los espacios libres. Su capacidad puede
aumentar hasta recibir 12.000 personas, con una buena
visibilidad y óptima acústica. Pablo VI, al inaugurarla, explicó
los motivos del gran esfuerzo económico realizado por la
Santa Sede para disponer de una sala de audiencias. Ésta se ha
transformado en lugar de encuentro entre el Papa y los
visitantes del mundo entero.

La bóveda parabólica con doble curvatura, la conexión
estructural entre el techo y su soporte cóncavo para evitar los
empujes laterales, el juego compensado de las tensiones, los
dispositivos de iluminación, la convergencia visual de todo el
ambiente en el palco, y la disposición de las entradas, hacen de
esta obra una las realizaciones más importantes de la
arquitectura contemporánea. La sobria grandiosidad del
interior está adornada por los vitrales ovalados de Giovanni
Hajnal y por la "Resurrección" de Pericle Fazzini, imponente
obra en bronce y latón que se destaca en el fondo de la sala,
detrás de la cátedra. En el mismo edificio hay un Aula menor
para congresos y reuniones donde, desde 1971, se celebran
los Sínodos de los Obispos.

En el interior de las murallas vaticanas se da también otro
tipo de acogida: todos los días, centenares de desheredados
reciben comida, y unas setenta mujeres sin techo reciben
alojamiento, en la casa «Dono di Maria», la pequeña re-

La Plaza de San Pedro *en un fresco realizado en 1564-65 que se halla
en el apartamento de Julio III, con la Cúpula como se encontraba
cuando murió Miguel Ángel y con la Logia de las Bendiciones sin
terminar. Ésta última fue comenzada durante el pontificado de Pío II y
ampliada varias veces hasta el pontificado de Julio II.*

⇨

La Plaza de San Pedro *en un fresco, colocado siempre en el
apartamento de Julio III, de la época de Urbano VIII, que muestra los
campanarios proyectados por Bernini. El de la izquierda, construido en
parte (1641), pero luego demolido (1644) porque presentaba lesiones. A
la derecha de la basílica, la entrada a los palacios construida en la
época de Pablo V y para la cual se realizó el Portón de Bronce.*

La Plaza de San Pedro. *Construida en 1656-67 por Gian Lorenzo Bernini. Prolongando la estructura de la basílica con los dos corredores y las columnatas, Bernini sitúa el punto focal de todo el conjunto arquitectónico al principio de la plaza, dando una nueva dimensión a la fachada y devolviendo la esbeltez a la cúpula. En esta fotografía se ve, a la izquierda de la columnata, el Palacio del Santo Oficio, sede de la Congregación para la Doctrina de la Fe. Inmediatamente detrás, la bóveda ondulada del Aula de las Audiencias inaugurada por Pablo VI el 30 de junio de 1971. Entre ésta última y la basílica, el Colegio Teutónico, cuyos orígenes se remontan a Carlomagno, quien fundó en ese lugar una hospedería para los peregrinos francos; y el edificio del siglo XIX que comprende la Rectoría y la Sacristía, ésta última cubierta por una cúpula. A la derecha de la basílica, la Capilla Sixtina, los Palacios Apostólicos y el cuartel de la Guardia Suiza.*

En la parte superior de la fachada de San Pedro hay una serie de estatuas. Al centro, Cristo Resucitado que levanta la mano bendiciendo. A sus lados, los apóstoles. En el lugar que debía ocupar Judas Iscariote, el traidor, está San Juan Bautista, el primo del Mesías.

sidencia que el Papa ha puesto a la disposición de las religiosas de la Madre Teresa de Calcuta. Una acogida muy particular, hecha de oración y contemplación, es la que ofrece el monasterio de las contemplativas en la Colina Vaticana. Allí se reciben simbólicamente las intenciones del Papa y de toda la Iglesia. Es muy significativo que esto suceda en las cercanías de la tumba del Apóstol y de la casa de su Sucesor.

Por la noche, los ojos de los transeúntes y peregrinos se dirigen hacia las ventanas del palacio apostólico. Esas ven-tanas que permanecen con la luz encendida hasta muy tarde revelan una presencia vigilante y actuante. Y dan una verdadera sensación de familia en la que se puede seguir el trabajo del padre común. Al terminar su estudio sobre esta ciudad, el obispo Fallani escribía: «Nuestra conversación se interrumpe como en los museos, cuando el guardián rompe el encanto de la contemplación con las palabras: "¡vamos a cerrar!". Los que han visitado la basílica y las salas podrán escribir a sus familias que el viaje ha sido muy lindo, pero no ha terminado».

Las estatuas de 140 santos, que se asoman desde lo alto de los dos hemiciclos y de los dos brazos que unen la basílica a la plaza, son obra de los alumnos de Bernini.

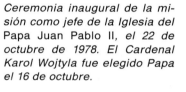

Ceremonia inaugural de la misión como jefe de la Iglesia del Papa Juan Pablo II, *el 22 de octubre de 1978. El Cardenal Karol Wojtyla fue elegido Papa el 16 de octubre.*

El ábside del transepto sur *es el único que completó Miguel Ángel en todos sus detalles y que sirvió de modelo para los otros dos ábsides.*

El mosaico que representa a María y Jesús fue colocado en posición dominante respecto a la Plaza de San Pedro a petición del Papa Juan Pablo II. Recuerda el atentado a la vida del Pontífice el 13 de mayo de 1981, cuando entraba en la plaza para comenzar la audiencia general. El Papa proclamó públicamente su convicción de que lo había salvado la intervención de María. La inscripción en latín Totus Tuus («Totalmente Tuyo») es el lema del Papa y está en el escudo de Juan Pablo II. Abajo, la inscripción Mater Ecclesiae («Madre de la Iglesia») expresa la confianza en la atención materna de María a la Iglesia.

Las estatuas imponentes de San Pedro (a la derecha) y San Pablo (a la izquierda), a los lados de las gradas que suben a la basílica, recuerdan al visitante que los dos santos fueron martirizados en Roma. San Pedro lleva las llaves que simbolizan la autoridad espiritual recibida de Jesús. San Pablo sostiene una espada que recuerda su muerte en la Vía Ostiense. Como era ciudadano romano, fue decapitado. San Pablo lleva en sus manos, además, un pergamino que recuerda el enorme trabajo misionero que realizó para establecer nuevas comunidades cristianas. Las estatuas fueron colocadas en la plaza a fines del siglo XIX, durante el pontificado de Pío IX (1846-1878).

La fuente *proyectada por Maderno (1613) interrumpe la arquitectura lineal de la plaza. Más tarde (1675) Bernini agregó una segunda fuente para dar simetría al conjunto.*

⇨

El obelisco de granito, transportado desde Heliópolis (Egipto) en el año 37 a.C., estaba en el circo de Calígula y fue colocado en la posición que ocupa hoy frente a San Pedro en 1586. El 30 de abril de ese año, el Papa Sixto V (1585-1590) dirigió los trabajos de traslado al centro de la plaza que exigieron los esfuerzos de 900 hombres y 140 caballos. En la cúspide del monumento, el Papa colocó una reliquia de la Cruz de Cristo.

La ventana del Papa. *Siguiendo una tradición comenzada por Juan XXIII, el Papa se asoma todos los domingos a mediodía a la ventana de su estudio, situado en el tercer piso del Palacio Pontificio, para recitar el Ángelus con los fieles reunidos en la Plaza de San Pedro.*

Juan Pablo II *bendice a los fieles desde la Logia de las Bendiciones el día de Navidad.*

REFERENCIAS BIBLIOGRÁFICAS

La bibliografía sobre el Vaticano es inmensa: desde la historia de los Papas, hasta la presentación del patrimonio religioso y artístico.

Una visión de conjunto, redactada por ilustres especialistas, la ofrece *Il Vaticano e Roma cristiana* (El Vaticano y la Roma cristiana), Libreria Editrice Vaticana, 1975.

Dos volúmenes indispensables para una presentación completa de los Palacios y de los Museos Vaticanos son aquellos escritos por dos maestros inolvidables que fueron directores generales de los Museos: *I Palazzi Vaticani* (Los Palacios Vaticanos), obra de Deoclecio Redig de Campos, Cappelli, Bologna, 1967; *I Musei Vaticani, cinque secoli di storia* (Los Museos Vaticanos, cinco siglos de historia), por Carlo Pietrangeli, Quasar, Roma, 1985.

Imposible de encontrar, pero precioso por la cantidad de informaciones sobre el mayor templo de la cristiandad, es el volumen de Genesio Turcio: *La Basilica di S. Pietro* (La Basílica de S. Pedro), Sansoni, Firenze, 1945, mientras la *Storia della costruzione del nuovo San Pietro* (Historia de la construcción del nuevo San Pedro) De Luca, Roma, 1977, obra de Ennio Francia, ofrece un encantador panorama histórico. Muy ágil la presentación de Eva Maria Jung Inglessis en su obra *San Pietro*, en la edición reservada a las Galerías y Museos Pontificios, 1978. De gran utilidad, de Michele Basso, la *Guida alla necropoli vaticana* (Guía a la necrópolis vaticana), Fabbrica di S. Pietro in Vaticano, 1986.

Muy ricos en informaciones y coordinados por el prof. Pietrangeli y autores competentes, son los pequeños volúmenes *Guide del Vaticano* (Guías del Vaticano), Palombi, Roma, 1989. Mientras da una óptima visión de conjunto *Michelangelo e Raffaello in Vaticano* (Miguel Ángel y Rafael en el Vaticano), publicada por los Museos Vaticanos en 1994.

Con relación a la limpieza de los frescos de la Sixtina, se puede consultar *La Cappella Sistina. La volta restaurata: il trionfo del colore* (La Capilla Sixtina. La bóveda restaurada: el triunfo del color), Istituto Geografico De Agostini, Novara, 1992. Incluye, además, aportaciones de los protagonistas de ese delicadísimo trabajo: Fabrizio Mancinelli, Gianluigi Colalucci y Nazareno Gabrielli.

Otros libros llenos de ilustraciones e instantáneas inusitadas nos ayudan a descubrir el Vaticano: además de *Vaticano, città e giardini* (Vaticano, ciudad y jardines), de Carlo Pietrangeli y Fabrizio Mancinelli, editado por los Museos Vaticanos en 1985, señalamos una importante obra de Giovanni Fallani y Folco Quilici, síntesis insuperable de conocimientos artísticos e históricos y de sensibilidad religiosa: *Vaticano*, publicada por la Esso Italiana en 1984. *Viaggio in Vaticano* (Viaje por el Vaticano), con texto de Bart Mc Dowell y fotos de James L. Stanfield, de la National Geographic Society, traducido al italiano por el Touring Club en 1991. Y el libro del periodista Jean Neuvecelle y el fotógrafo Walter Imber, un magnífico *Vaticano a porte aperte* (Vaticano a puertas abiertas), Ed. Mondo. Dos cardenales franceses que vivieron durante varias décadas en el Vaticano han dado testimonio, por escrito, de muchos de sus conocimientos, en forma accesible: el Cardenal Jacques Martin con *Il Vaticano sconosciuto* (El Vaticano desconocido), Libreria Editrice Vaticana, 1990. Y el Cardenal Paul Poupard con dos obras: *Conoscenza del Vaticano* (Conocer el Vaticano) y *Pellegrinaggio a Roma* (Peregrinación a Roma), ambas publicadas por las ediciones Piemme, Casale Monferrato, 1983. Dan un enfoque al mismo tiempo histórico e «ideológico» y de gran profundidad Philippe Levillain y François Uginet en: *Il Vaticano o le frontiere della grazia* (El Vaticano o las fronteras de la gracia), Rizzoli, Milano, 1985.

LISTA DE LOS PAPAS MENCIONADOS EN EL TEXTO

Pedro
Víctor I (189-199)
Urbano I (222-230)
Silvestre I (314-335)
Dámaso (366-384)
León I o León Magno (440-461)
Símaco (498-514)
Gregorio I o Gregorio Magno(590-604)
León III (795-816)
Gregorio IV (827-844)
León IV (847-855)
Juan VIII (872-882)
Calixto II (1119-1124), *Guy de Bourgogne*
Eugenio III (1145-1153), *Bernardo dei Paganelli*
Inocencio III (1198-1216), *Lotario de los condes de Segni*
Gregorio IX (1227-1241), *Ugolino de los condes de Segni*
Inocencio IV (1243-1254), *Sinibaldo Fieschi*
Nicolás III (1277-1280), *Giovanni Gaetano Orsini*
Bonifacio VIII (1294-1303), *Benedetto Caetani*
Clemente V (1305-1314), *Bertrand de Got*
Clemente VI (1342-1352), *Pierre Roger*
Gregorio XI (1370-1378), *Pierre Roger de Beaufort*
Martín V (1417-1431), *Oddone Colonna*
Eugenio IV (1431-1447), *Gabriele Condulmer*
Nicolás V (1447-1455), *Tommaso Parentucelli*
Pío II (1458-1464), *Enea Silvio Piccolomini*
Sixto IV (1471-1484), *Francesco della Rovere*
Inocencio VIII (1484-1492), *Giovanni Battista Cybo*
Alejandro VI (1492-1503), *Rodrigo de Borja o Borgia*
Julio II (1503-1513), *Giuliano della Rovere*
León X (1513-1521), *Giovanni de' Medici*
Clemente VII (1523-1534), *Giulio de' Medici*

Pablo III (1534-1549), *Alessandro Farnese*
Julio III (1550-1555), *Giovanni Maria Ciocchi del Monte*
Pablo IV (1555-1559), *Gian Pietro Carafa*
Pío IV (1559-1565), *Giovan Angelo de' Medici*
Pío V (1566-1572), *Antonio Ghislieri*
Gregorio XIII (1572-1585), *Ugo Boncompagni*
Sixto V (1585-1590), *Felice Peretti*
Clemente VIII (1592-1605), *Ippolito Aldobrandini*
Pablo V (1605-1621), *Camillo Borghese*
Urbano VIII (1623-1644), *Maffeo Barberini*
Inocencio X (1644-1655), *Giovanni Battista Pamphilj*
Alejandro VII (1655-1667), *Fabio Chigi*
Clemente IX (1667-1669), *Giulio Rospigliosi*
Clemente XI (1700-1721), *Giovanni Francesco Albani*
Clemente XII (1730-1740), *Lorenzo Corsini*
Benedicto XIV (1740-1758), *Prospero Lambertini*
Clemente XIII (1758-1769), *Carlo Rezzonico*
Clemente XIV (1769-1774), *G. V. Antonio Ganganelli*
Pío VI (1775-1799), *Giannangelo Braschi*
Pío VII (1800-1823), *Barnaba Chiaramonti*
Gregorio XVI (1831-1846), *Bartolomeo Alberto Cappellari*
Pío IX (1846-1878), *Giovanni Maria Mastai-Ferretti*
León XIII (1878-1903), *Gioacchino Pecci*
Pío X (1903-1914), *Giuseppe Sarto*
Benedicto XV (1914-1922), *Giacomo della Chiesa*
Pío XI (1922-1939), *Achille Ratti*
Pío XII (1939-1958), *Eugenio Pacelli*
Juan XXIII (1958-1963), *Angelo Roncalli*
Pablo VI (1963-1978), *Giovanni Battista Montini*
Juan Pablo I (1978), *Albino Luciani*
Juan Pablo II (1978), *Karol Wojtyła*

ÍNDICE

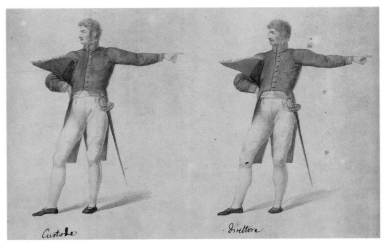

El Guardián y el Director de los Museos Vaticanos en 1815
(Archivo Histórico de los Museos Vaticanos).

Esfera con esfera, de Arnaldo Pomodoro. Esta obra de bronce fue realizada por el artista en 1990 para los Museos Vaticanos. Se halla en el centro del Patio de la Piña y tiene 4 metros de diámetro.

Fotografías: Archivo Fotográfico de los Museos Vaticanos; Archivo Secreto del Vaticano; Biblioteca Apostólica Vaticana; Fábrica de San Pedro; Servicio Fotográfico de L'*Osservatore Romano;* Archivos *Alinari;* Instituto Fotográfico *Scala;* F. Mayer Magnum; *Metropolitan Museum of Art* (Nueva York); *Musées Royaux d'Art et d'Histoire* (Bruselas); *Nationalmuseum* (Estocolmo); *Pubbliaerfoto; Pianeta Immagine* para la ENEL; *Kupferstich-kabinett,* (Berlín); ATS Edición Italiana.

Traducción: Cristina Montalvo Dobrzensky, Norma Orozco.

ISBN 88-86921-21-7 en rústica
ISBN 88-86921-30-6 con tapa

TIPOGRAFIA VATICANA – 2002
CITTÀ DEL VATICANO